60代一人暮らし
年金[illegible]万円で楽しく幸せに暮らす

鈴木よう子

PHP研究所

まえがき

恥ずかしながら、私は老後の生活設計を立てていませんでした。

なのに、老後は年金がもらえるし、きっと悠々自適《ゆうゆうじてき》な暮らしができるだろう。若い頃から、漠然とそんな老後を夢見ていました。

将来、手にする大事な年金の仕組みは複雑です。学校では教わらないし、こちらから聞かない限り、誰も教えてくれません。

だからといって、知らなかったなどと言い訳にはなりませんよね。

年金のことなど考える余裕もないまま、20年前に離婚し、生活に追われ、子育てに没頭する日々を過ごしてきました。やがて子どもたちが独立し、私は一人暮らしになりました。

あっという間に還暦を迎え、気づくと年金生活者になりました。

ところが、夢と現実は大違い。

「悠々自適な年金生活」夢の老後は、どこへやら。厳しい現実を突きつけられました。

まずは60歳でいただいた年金が、月に1万8000円弱。それでも貯金が無かったので、嬉しかったです。当時、パートの仕事はフルタイムでしたので、年金は使わずにコツコツ貯めました。

ところが、コロナ禍《か》の影響で職を失い、私は無職になりました。たった2万円の年金以外、無収入。わずかな貯金を切り崩して暮らさなければなりません。せめて人並みに食べていくために、どうやって生活していけばいいだろう。

そんな時、大好きなYouTube《ユーチユーブ》で、同年代の皆さんが苦しい生活の実情を赤裸々に語る映像を見てはっとしました。

振り返れば、私の人生は波乱万丈そのものです。

これなら私にもできる。これしかない。

そんなわけで、何もわからないけどスマホだけ、照明もなく、YouTubeを始めました。

しかし、世の中はそんなに甘くありません。慣れないパソコン作業はとてもハードルの高いものでした。撮影機材はないし、ないないずくしです。

見様見真似、試行錯誤を繰り返しながらYouTubeに投稿しました。

最初の動画は、いま見返しても史上最低の出来映えです。

よくぞこんなものを、世に送り出したものだ。

しかし、この時はただ夢中で、動画をアップすることしか考えられなかったのです。あとから消去しようと思いましたが、これもリアル。

まっ、いっか。

ズボラで能天気な私はいつもこんな感じです。

次の料理は何を作ろう。

一般人の私が、持病の腰痛とうまく付き合いながら、長くやっていくには、無理しちゃいけない。私は私らしく、普段通りの料理を作って行こう。そして、分からないことは視聴者さんに呼びかけてみよう。

この時そう考えたのです。

すると、視聴者さんから、テーブルマナーや節約レシピ、更には、包丁の研ぎ方まで教えていただきました。長く生きて来たけれど世の中知らないことばかりで、とても勉強になります。

こんな私ですが、少し賢くなりました（笑）。

大したものは作れませんが、せめて「美味しくなぁれ」と、魔法を唱えながら料理しています。

そして、迎えた65歳。されど、年金は、

「えっ、月に７万円？」

もちろん、いただけることには感謝しています。でも、７万円から介護保険料が引かれ、家賃と光熱費で消えてしまいます。だから今は、年金とパートの仕事とで、どうにか家計をやりくりしています。

改めて俯瞰してみると、数多くの優しい人たちに助けられ、支えられて今の私があるんだなぁと思えるようになりました。

誰よりも小さく生まれ、体が弱い私を愛情たっぷり大切に育ててくれた、今は亡き両親と叔父。

渡米時代、食べるお金もなく、途方に暮れる私に援助の手を差し伸べてくれた日系人のみなさん。

トラブルがあっても身を盾にして私を守ってくれた職場のみなさん。一人暮らしの私の身を案じ、遠くからサポートしてくれるいとこや息子家族。

それから、温かいコメントでいつも励ましてくれてる YouTube の視聴者さん。

数えきれない優しさに包まれて私は今ここにいます。

あの時、まともな感謝の言葉も伝えられず、恩返しもできないまま現在に至っています。

何もご恩返しはできないけれど、私がいつも明るく元気でいるだけできっと喜んでくれていると思います。

私はパソコンに疎く、作業が遅いので、自分が YouTube に投稿するなんてもう無理だと諦めかけたこともありました。

年を重ねるたびに、「もう年だから」と諦めてしまいがちです。でも実際にやってみたら、時間をかければできるんだっていうことが分かりました。結果が出るととても嬉しいですよね。

それまで一人で悩んで、くよくよしていた私は、ポジティブ思考になりました。

私にとって大きな収穫になったと思います。

今では、YouTube はボケ防止と、私の生きがいになっています。

そんな私を見ていただいて、いくつになっても、やれば出来るということを皆さんに伝えて行けたら幸いです。

この本は、2022年の春先からの記録です。読み返してみると、ワクワクしたり、胸が熱くなるものがあります。

今は、年金7万円とプラスαでやりくりしてる年金生活者ですが、毎日とても幸せです。

だって、一人暮らしが楽しいから。

この本を読んだ方が、「少しでも元気になってくださったらいいなぁ」。

そう思っています。

そして、もし、YouTubeを見る機会があったら、私のことを思い出してください。

老後の生きがいを見つけた私は、ずっとここにいます。

鈴木よう子

60代一人暮らし
年金7万円で楽しく幸せに暮らす

目次

まえがき 1
1 年金プアー？ 仕事をクビになり無職に 14
2 突然、体が動かず、無収入になってしまいました 22
3 準備した老後資金は元夫の使い込みで無くなりました 31
4 年金分割なし・離婚後の低所得3万円生活 39
5 1カ月の生活費をすべて公開します 46
6 年金節約のためにやめたこと 55
7 年金が減額 64
8 四つ葉のクローバー 71
9 YouTubeを始めた理由 73
10 失業保険がもらえない 77

11 仕事が始まって最初の休日　82
12 おいしくなーれ　86
13 みなさんは老後も働く？　一人暮らしでも生活費は足りない　91
14 買い物金額発表――エアコン壊れて熱中症　96
15 1日の食費659円――節約しながら好きなものを食べて過ごす　103
16 シニア女性のパートの仕事――お金持ちと貧乏人　107
17 自炊は、節約プラスボケ防止になる　113
18 柚子こしょうパスタ　117
19 コロナ感染しました　119
20 続　コロナ感染しました　126
21 仕事から帰ったナイトルーティン　132
22 お弁当作り――カレー味の二色そぼろ丼　139

23 暇な土曜はいつもこんな過ごし方 141
24 「変わり者」と言われても自分らしく人生を過ごす 144
25 老けこまないために、食生活から気をつける 145
26 頑張らない夕飯――余り物で一人鍋 152
27 スーパーの値引き品で作り置き5品 157
28 物価高で物が買えない 162
29 母の誕生日に五目ちらし寿司 168
30 国民年金の保険料納付期間延長――お金をかけない老後の楽しみ方 172
31 年金の支給開始の年齢は？ 177
32 昔懐かしいおふくろの味カレー 179
33 築地場外から銀座、有楽町散歩 188
34 1日食費200円生活の食事 197

35 実は、家族で食事や温泉旅行に行きたい 204
36 生活費を下げるのにみなさんはどうしていますか？ 207
37 またひとつ私のやりたいことが増えました 212
38 昔ながらのおうちプリン 215
39 一軒家に住む友人 222
40 母と二人で出かけた高野山の紅葉 228
41 まさかの一言に涙が止まりませんでした 232
42 峠の釜めし 237
43 お散歩 243
44 狭いながらも楽しい我が家 244

※文中の年金等に関する記述は、本書の執筆が開始された2022年５月から、
2023年11月までの情報に基づいています。

装幀：根本佐知子（梔図案室）
装画・本文イラスト：川崎由紀

60代一人暮らし
年金7万円で楽しく幸せに暮らす

1　年金プアー？
仕事をクビになり無職に

人生100年時代、みなさまいかがお過ごしですか？

今日は私の仕事と年金についてお話ししようと思います。

私の名前は、鈴木よう子。

夫とは20年前に離婚して、現在一人暮らしです。

若い頃は、

「老後は年金をもらいながら悠々自適な暮らしが待ってる」

漠然とそんな夢を見ていました。

そんな矢先、突然降ってわいた大事件が勃発……仕事をクビになり無職になってしまいました。

私はパートで婦人服の販売に携《たずさ》わっていました。アパレルが不況といわれている中でも、会社は何とか持ちこたえていました。

売り場では、接客やレジにお包み、発送など一日中立ちっぱなし。立ったままでパソコンでの事務作業もあります。

若い頃はスーツ姿にハイヒールを履いて飛び回っていましたが、10年ほど前に腰を悪くしてからスニーカータイプの靴を履くようになりました。

コロナ禍の影響で、取引先が次々に倒産しました。

それでも、ガラガラの売り場で立ち尽くす私を、社長はずっと雇ってくれました。

本当は数人の社員だけでも十分な状況下でしたが、パートの私の事情をよくご存じの社長は、

「コロナが終わったらきっとお客様は戻ってくるから」

と、いつも優しく声をかけてくださいました。

しかし、会社の経営は厳しい状況で、ついに私に解雇を宣言したのです。

「申し訳ない」

社長から頭を下げられてしまいました。

「いつも励ましの言葉をいただいていたことに感謝の気持ちで一杯です。今までありがと

うございました」

お礼の言葉を伝え、私は無職になりました。

それから職探しに奔走する毎日。

アパレル業界の衰退と年齢的な制限もあり、キャリアをうまく活かせず、落ち込む毎日。

みなさまにはこのような経験がありますか？

昔と違い、今の60歳は、元気でさえいれば、知識や経験もあります。ずっと働ける受け皿がもっとあったらいいなと思います。

人生100年時代といわれていますが、平均寿命が延びれば、当然生きるために必要なお金も増えます。

日本人の平均寿命（2022年時点）は、男性が81・05歳、女性は87・09歳だそうです。

高齢化社会として問題を抱えているので、さらに10年以上も伸びる可能性があるそうです。

国の年金支給額は2022年度4月から、0・4％下がりました（23年度は増額）。

もちろん支給額は人によって異なります。ですが、物価の下落率よりも年金の下げ幅が大きいため、受給者の生活はさらに厳しくなると思います。

このままですと僅《わず》かな貯金が少しずつ目減りしていくので、老後の暮らしに対する不安が拭《ぬぐ》えません。

私の家系は比較的短命で、父は長年内臓疾患系の病気を患《わずら》い、何度も入退院を繰り返した末に70歳で他界しました。その後、突然母も脳梗塞で倒れ、あっという間に旅立ってしまいました。

人生100年時代と言われていますが、人それぞれですね。

私には、人生100年時代を生き抜くための十分な資産はありません。きっとそんなに長生きはできないでしょうね。

今から5年前、私は60歳の誕生月から年金を受給し始めました。働けるうちは働いて、少しでも手元に余裕を持たせたかったから、年金を60歳からもらえて、よかったです。

私の場合、特別支給の老齢厚生年金（報酬比例部分）で過去に支払った厚生年金分のみになります。

2カ月に一度振り込まれる今の年金額は3万4984円。

収入があるので嬉しいです。

みなさま、年金はいくらもらっていますか？

厚生年金保険（第1号）の老齢年金の平均受給月額は、約14万４０００円（老齢基礎年金も含む）だそうです。

私は現在64歳（執筆時）です。来年から老齢基礎年金の支給が始まります。

65歳からいただく年金見込額の試算（２０１８年現在、年額）は、
老齢基礎年金が58万１９７２円、
老齢厚生年金（報酬比例部分）が24万３８０５円、
合計82万５７７７円となっています。

これは、国民年金、厚生年金を合わせた金額です。一人暮らしとは言っても、ひと月あたりの年金は７万円弱?!

この年金だけで、この時代にどんな生活ができるのでしょうか？

悲しいけれど、これが現実です。

将来、国の年金支給額の引き下げによって、私の年金受給額はこれよりもっと少なくなりそうですね。

1　年金プアー？　仕事をクビになり無職に

一生働かなければいけない人生だからこそ、毎日ささやかなことにも心を敏感にして、幸せを感じていたいと思います。

そんな私に、今追い打ちをかけるような事件が起きています。

2023年に入ってからの値上げラッシュです！　毎日値上げのニュースが届いています。

みなさまはどのように感じられていますか？

かつてない勢いで食品、日用品、電気、ガソリンまで、様々な分野の料金が軒並み上がっていますよね。特に、公共料金の上昇がかなり生活に響きそうです。

我が家のお菓子も在庫切れに！　そこで、急遽《きゅうきょ》買い出しに出かけました。

今日スーパーへ行ったら、すべてのものが値上がりしていてビックリしました。

前みたいに、お菓子の買いだめもできません。

お菓子の値段は変わらず中身が少なくなっている気がします。私の大好きなチョコレートやポテトチップスは、パッケージの変化とともに内容量も徐々に減少しています。

「はぁ」と思わずため息。

みなさまはどのような時に幸せを感じますか？

人の優しさに触れた時？　ぐっすり眠れた時？　疲れが取れている時？　嬉しいことがあった時？　食べ物を美味しく感じた時？　笑った時？

私のささやかな楽しみは三時のおやつです。

コーヒーを飲みながら、美味しいものを少しだけ……。ほっとひと息できる至福の幸せなひと時にいつも感謝しています。

こんな時に、「幸せだなぁ」って感じます。

何気ない日常から、幸せを感じることができるように、元気に明るくポジティブに暮らしていこうと思っています。

今まで、決して無駄遣いはしないように心がけて、働きながら大切な年金を貯蓄の方に回してきました。

これからの生活や老後をどうするか色々と創意工夫をしながら、メリハリをつけて節約生活に励んでいきたいと思います。

特に、病気にかからないことが一番の節約なので、健康面も考えて1日3食の食事を自分で作るようにしています。

2 突然、体が動かず、無収入になってしまいました

私は20年前に離婚して二人の子どもを育て上げました。

今は、一人暮らしをしています。

仕事はパートで婦人服の販売に携わっていましたが、長引くコロナの影響でついにクビになりました。

さらに、掛け持ちで請け負っていた事務の仕事も終了というダブルパンチを食らう始末。

さっそく始めた就職活動では、アパレル業界の衰退とコロナ禍での就職難、年齢制限などで、長年培《つちか》ったキャリアも活かせず、随分落ち込みました。

それでも、「強く生きるんだ！」と自分自身を鼓舞《こぶ》しつつ、仕事探しに奔走する毎日でした。

厳しい現状を打開すべく、求職活動を始めた矢先の事でした。無職の老婆を、奈落の底へ突き落とすような「悪夢の出来事」が待ち構えていたのです。

事件は5月16日の午後1時。

窓際に置かれていた青々と生い茂る雑草化したプランターを、ちょっと撤去しようとしていた時でした。

突然稲妻に打たれたような激痛に襲われ、そのまま動けなくなってしまいました。

なんとぎっくり腰になってしまったのです。

「何じゃこりゃ」「痛くて動けないんですけど！」

言葉にならない激しい痛みに自問自答して

も始まらない。何てったって私、一人暮らしです。

家には誰もいないし、台所にて携帯電話を充電中。

それに他県で忙しく仕事している息子には、ちょっと迷惑かけられない。

「独居老人の孤独死」

なんて新聞の社会面を飾る例の怖いフレーズが頭をよぎります。恐怖体験とは、まさにこんな感じ?

「ちょっと、動けない……」「こんなことってある?」

「そりゃ60過ぎてるけどさ、元気だけが取り柄だったのに。もう働けないんじゃゃ……」

痛みの中、動けないまま時間だけが過ぎていきました。

老いの現実に晒《さら》されて、仕事をクビになったショックと相まっての感情。

昔を思い出してはため息。この先のことを考えてはため息。思わずこぼれた涙は止まらなかったのでした。

その後、動けないまま床に転がって30分ほどが経った頃、虫の知らせとは本当にあるもので、たまたま散歩で立ち寄った友人が「あれ?　いるー?」。

私は思わず**「助けてー!　ドア開いてるから!」**と声を出し、玄関を開けてもらったところ、目が合ったまま「え?」の一言。こうして無事に救助されました。

命の恩人、本当にありがとうございます!!

その後、整形外科病院で検査の結果、「慢性椎間板性腰痛症」と診断されました。

MRIとCTでは、たいしたことは無いと言われ、湿布薬と痛み止めを処方されました。

それでも検査に数万円の費用が掛かり、私にとって大出費でした。

みなさま、このような経験がありますか?

その後2週間寝っぱなし。おかげで筋肉が落ちて、すっかり萎《な》えてしまいました。

腰は、前屈ができず、洗顔や靴下をはくことは全くできず、寝返りも非常にきついです。

思うように体が動かず、今月から無収入になってしまいました。

参ったなぁ……。

長年の無理が祟《たた》ったのかなぁ?!

どうやら、体にガタがきてしまったようです。

「何ですぐに連絡してこないの？」

心配した息子は仕事帰りに見舞いに来てくれました。

その日は美味しいお弁当を買ってきてくれたり、溜まっていた洗濯物を干してくれたり、台所の壊れた扉まで直してくれました。

「ゆっくり休めばいいよ」

息子に励まされながらゆっくり静養することができて、今は辛《かろ》うじて日常生活を送れています。

みなさまの中にも辛《つら》い足腰の痛みで苦しんでいる方はいらっしゃると思います。

人は痛みに弱いものですね。

いまだに、寝起き時の体の硬直、腰まわりの重だるさや脚に軽い痺れが残っています。

痛みが続くようならばと医師は手術を勧めますが、手術はせず、自宅療養中です。

何故なら、高額な手術をしても痛みが完治するとは限らないからです。

できることは、一時しのぎの神経ブロック注射と安静だけで、神経ブロック注射は3割負担で5000円もします。

無収入で医療費が家計に重くのしかかり、現在は貯金もほぼなく、コロナ禍での通院も不安が残ります。

思い返せば、この20年間、数年毎に動けないほど激痛を伴うぎっくり腰を発症していました。

その度に腰痛ベルトで身を固め、無理して仕事を続けていたのです。

毎日2時間の通勤に加え、長時間の立ち仕事です。

家には病院から処方された湿布薬と使い古した腰痛ベルトが沢山あります。

子どもたちのため、生活のために休まず働かなくてはならなかったからです。

実は、3月に実施された健康診断の結果、数値が高くて肝機能障害が見つかったばかりでした。

今はお医者さんから処方されているお薬を飲んでいます。

お酒はほとんど飲まないのに、肝機能等に疾患が出るのはおかしいと内科の主治医は首を傾《かし》げていました。

主な原因は、仕事での疲労やストレス？　元気だけが取り柄だったのに！

「ゆっくり休んでください」

主治医の先生は、優しく声をかけてくださいました。

そう言えば、常に疲労困憊《こんぱい》で、ずっと倦怠感《けんたいかん》は半端なかったです。

昔は成人病と言われていた生活習慣病ですが、現在、日本人の3大死因は「がん」「脳血管疾患」「心疾患」だそうです。

自分では気づかないうちに症状が進行してしまうその原因は、食生活の欧米化による過剰栄養や運動不足、仕事での疲労やストレス、睡眠不足、喫煙、飲酒など。

予防としては、食事や運動、睡眠などの生活習慣の改善を指導されましたが、実行に移すのは結構大変です。

生活習慣病の予防方法をネットで調べてみると、

「喫煙をしない」

「定期的に運動をする」

「飲酒は適量を守るか、しない」

「1日7~8時間の睡眠をとる」

「適正体重を維持する」

「朝食を食べる」

「間食をしない」

などが挙げられていました。

昔は、体育会系で体力には自信があったのに……。

私の場合、長い間生活に追われて特にこれといった趣味もなく、運動も全くやっていません。食事は昼と夜のみ、朝はコーヒーをいただきます。どら焼きとお煎餅が大好きです。

おかげさまで、お腹が巨大な大福もちになっております（笑）。

疲れていても眠れなくて、睡眠時間は5～6時間です。お酒は弱くて飲めないし、煙草は無しです。

仕事の疲れやストレスもあり、私の生活習慣は最悪でした。

みなさまは、どのような予防対策をされていますか？

今回の件で、改めて健康の大切さを実感しました！

夢中で駆け抜けてきた20年、本当に疲れました……。

「こんなことで気弱になってはいけない！」

「きっと神様が老後の自分を見つめなおす時間を与えてくれたんだ！」

そう思ったら、なんだか元気が出てきました。

振り返れば、子育てを終えて一人暮らしになってから、自分の健康管理について無頓着でした。

食事は簡単なものですませて、おやつが唯一の楽しみになっていました。

これからは、明るい未来と健康を維持するために、心を切り替えて生活していこうと思います！

三度の食事に気を配り、大好きなおやつは控えめにします。

ラジオ体操をしたり、近所に散歩にでかけたり、少しずつ、自分にできることから始めようと思っています。

それから、新しいことにも挑戦したいと思います。

ちょっとした発見や楽しい出来事などを、自宅からでも発信できるYouTubeにチャレンジしてみようと思いました。

なにぶん不慣れでうまくいくかわかりませんが、明るく元気にポジティブな気持ちで頑張ってみようと思います。

3 準備した老後資金は元夫の使い込みで無くなりました

私は、実はバツイチなんです。今回は元夫について書こうと思います。

元夫とは友人の紹介で知り合い、間もなく結婚。私は高卒で就職していたのですが、二浪した元夫は当時大学生でした。

勢いに任せた早すぎる結婚は「若気の至り」でした。

その後、元夫はアルバイトをしながら大学を卒業、外資系のＩＴ企業に就職しました。しゃべりが秀逸なうえに英語が堪能《たんのう》なので、めきめきと頭角を現し、やがて独立しました。

でも、色んな事業を何回も興すけど何年かすると失敗するっていう人でした。

コミュニケーションに長《た》けているので、色んなところからお金を引っ張ってきては会社を興す、将来有望？な立派な起業家でした。

要するに社長なんですが、事業がうまくいかないので、結局のところ「山師」と呼ばれてしまうわけなんです（ちなみに犯罪歴はありません）。

結婚生活はトラブルの連続でした。まぁいい時もありましたが……。なかなか子どもができなくて義父母からは「昔は嫁に子どもができないと実家に帰されたんだよ」とか、「子どもは〇〇（元夫の名まえ）似で頭のいい子がいいな」など、常に辛辣《しんらつ》な言葉を浴びせられました。

さらに、仕事で疲れて帰宅すると、家では義父母が待っていました。

みなさまには、嫁姑問題ってありますか？

当時、私は元夫の実家の近所に住んでいました。

義父母は合鍵を使って勝手に部屋に上がり込み、私に手料理を求めるのです。毎晩義父は晩酌を楽しみにしています。

残念なことに、姑《しゅうとめ》は料理がとても苦手な人でした。義父は私の手料理をいつも「美味しい！」と褒めてくれました。

最初のうちは、張り切って創意工夫を凝《こ》らした料理を作りました。

でもそれは、元夫が居ても居なくても続きました。

「毎日来られて、たまったもんじゃない！」「食費をもらわないとやり繰りできない！」元夫に愚痴《ぐち》っても、学費を出してもらっているので辛抱するしかありませんでした。

結婚十年でやっと子宝に恵まれ、暮らしも落ち着いてきた矢先、元夫は退職し輸入販売の会社を起業しました。

会社勤めで頭角を現すことができても、独立後に成功するためには、今まで以上に努力しなければいけない時期でした。

しかし、元夫の真面目な性格が一転、生活が乱れだしたのです。

毎日夜遅くまで飲み歩き、頻繁に出張するようになりました。それに浮気の疑いもありました。

何日も自宅に帰って来ないので義父母に相談すると、「○○（元夫の名前）に任せておけば大丈夫！」と長男への信頼は絶大でした。

子育てには一切かかわらず、接待と称してキャバクラ通いにゴルフ三昧、出張と称して不倫はさらにエスカレートしました。

それでも、義父母に促されるまま、子どものためにと耐えていました。けれども私のイライラは増すばかり。

「**こんな生活耐えられない！**」我慢の限界でした。

そんな様子を見てきた仲のいい保険屋さんの友達が、「自分の将来のためにお金を残しておかないと駄目だよ」って私にアドバイスをくれました。

「子どもの学費や生活費も大変だけど、若い時は（働けるから）どうにかなる。でも働けなくなった老後の貧乏は辛いよ」

それで、元夫に内緒でいくつか貯蓄型の保険に加入しました。

ある日、実直な義父が強く反対したにも関わらず、元夫はまた新しく事業を始めました。

それは、小さなホテルの経営でした。

「これからの日本はレジャー産業が台頭し観光立国になる。海外から観光客が押し寄せてきた時に、宿泊施設は不足する」

バブル時代の「大義名分」に、多くの人が賛同して資金は直ぐに調達することができました。現場を目《ま》の当たりにした私は、その規模に恐ろしくて鳥肌が立ったのを覚えています。

元夫の座右の銘は「思い立ったら即行動」です。

聞こえはいいのですが、ずさんな経営で実務は他人任せです。

何せ破天荒な漢《おとこ》ですから、子育てに追われる私には不安しかありませんでした。

それまで何度も起業しては失敗を繰り返し、家族や周囲の人に散々迷惑を掛けていました。

可愛い盛りの子どもに「うるさい！」と怒鳴り、抱っこもしてくれない。私は泣いて暮らしていました。人の忠告に耳を貸さない、傲慢《ごうまん》で無責任な元夫に、私はもう嫌気が差しました。

「もう、ついていけない！」

私の不安は見事に的中！　ホテルは数年で倒産しました。

借金取りに追われ、私は夫と離婚して母子家庭となりました。お金になるものはすべて売り払い、実家に逃げ帰りました。兎《と》に角《かく》、子どもたちを守るため必死でした。

元夫から、慰謝料も養育費も一切支払われませんでした。

困窮した私は、実家の援助を受けてアパート暮らしを始めました。

「仕事も見つかったし、頑張ろう！」「早く学校に慣れるといいな！」

新生活にお金は無かったけれど、辛い肩の荷が下りて楽になりました。

新天地での生活が一段落した頃、突然、役所からとんでもない通知が届いたのです！

それは「母子手当（児童扶養手当）停止のお知らせ」でした。

まさに青天の霹靂《へきれき》！　身に覚えのない知らせに慌《あわ》てふためき、すぐに役所に飛び込むと驚きの現状が明かされました。

なんと！　元夫の住民票が私の住んでる所と同じ場所になっていたのです。

「嘘でしょ？」

それによって、偽装離婚による不正受給とみなされ、母子手当（児童扶養手当）の停止処分となったのです。

「別れた子に会いたかったのかな？」「それにしても、約束した養育費も支払わずに生活困窮する家族になんて事をするんだ！」

激怒した私は、元夫に転出届を依頼し、もう二度と関わらないよう懇願しました。

元夫は「ごめんなさい」と素直に非を認め、すぐに手続きをしてくれました。

恥ずかしいとか他人の目を気にする余裕もなく、役所の窓口で私は泣きながら念書を書きました。

これにて一件落着。

かと思いきや、さらなる過酷な仕打ちが待ち受けていたのです！

実父が病気で入退院を繰り返す中、過労で母が倒れたのです。

その時、実家の家計は火の車でした。

世話になった両親を助けたい一心で、私は保険を解約しようと考えました。

けれど、どこを探しても保険証券が見当たらないのです。

そこで保険会社に問い合わせをした結果、すでにすべての保険は解約済みでした。

「こんなことってある？」「多額の保険金詐欺？」「不法侵入？」「泥棒？」

思い当たるのはただ一人、元夫です。

「あの時、なぜタブーを犯してまで住所を変えたの？」「どうして住民票が必要だったの？」

元夫は自分の金にはルーズでも、人の財布の中身はよく知っている人でした。

「保険のこと知ってたんだ！」長い間、釈然としない疑問が腹に落ち、私は怒り心頭に発してしまいました。

「悔しい！」「絶対に許さない！」

しかし、この時、元夫は行方《ゆくえ》不明になっていました。

あちこち散々手を尽くしましたが努力は報《むく》われず、準備した老後資金は元夫の使い込みで無くなり、親孝行はできなくなりました。幸い亡き父が掛けていた保険と退職金でなんとか入院費などの費用を補塡することができました。

その頃、不動産経営をしていた義父は、長男（元夫）の多額の借金を自身の会社で肩代わりしました。地元では「将来有望な起業家」とまで呼ばれた元夫。残念ながらその期待に答えられませんでした。

人生には色々ありますよね。

生きていくために様々な屈辱に耐え、理不尽な苦境に立たされたこれらの出来事は、生涯忘れる事はないでしょう。

でももしかして、あの時、事業の再建と家族の再構築のために元夫は奔走《ほんそう》していたのかもしれません。

知り合いによく「あれだけ才能があるのに残念な人だわ」「不運な人だ」と言われます。

いまだに行方不明の元夫ですが、どこかで誰にも迷惑をかけずに、元気に老後を送っていてくれる事をただ祈るばかりです。

私は今は幸せです。子どもたちも独立しました。

これからは、健康に気をつけて明るく元気に過ごしたいと思います。

4　年金分割なし・離婚後の低所得３万円生活

こんな老後になるとは想像もしていませんでした。

知らなかったじゃ、すまされない、年金を受給する年齢になって後悔した私の年金無し離婚。

私の残念な年金についてお話ししようと思います。

実は私、年金受給する年齢になって、衝撃の事実が発覚しました。

それは、老後の暮らしを大きく左右する重要な年金の手続きに関する後悔です。

お恥ずかしながら、私には2つも後悔があります。一つ目の後悔は、離婚時に年金分割の請求をしなかったことです。

みなさまは、年金分割ってご存じですか？

年金分割とは、離婚した場合に、お二人の婚姻期間中の保険料納付額に対応する厚生年金を分割して、それぞれ自分の年金とすることができる制度です。

年金分割の方法は、「合意分割制度」と「3号分割制度」の2種類あります。

合意分割の割合は二人の合意、または、裁判手続きによって決まった割合となります。

サラリーマンの妻である専業主婦の方など、3号分割の割合は、2分の1ずつとなります。

結婚当初、元夫は会社勤めをしていました。

なので離婚の際、「厚生年金の年金記録を分割してほしい」と年金事務所に請求しておけば良かったのです。

私のように専業主婦（3号分割）だった場合は、婚姻期間中の厚生年金保険料の納付実績は、配偶者と二人で（2分の1ずつ）分割することができます。

ただし、請求期限は離婚等をした日の翌日から起算して2年以内です。

請求にあたっては、一人で年金事務所で手続きができるので当事者双方の合意は必要ありません。

「そんな法律知らなかった〜。自動分割じゃなかったの？」

知らなかったじゃすまされない、悔やんでも悔やみきれない失態を犯《おか》してしまいました。

この年金分割は、私が自分の年金を申請した時に調べて知った制度です。時すでに遅く、なんと離婚翌日から20年もの月日が経過していました。

振り返れば、若い頃は年金についての知識が乏《とぼ》しく、考えも及びませんでした。そして、離婚後は日々の暮らしに追われる毎日でした。

今回改めて調べてみたら、大変興味深いデータを見つけました。

「令和3年度の厚生年金保険・国民年金事業の概況」によれば、受給者（第2号改定者）

の年金分割前後の受給額（老齢基礎年金含む）の月額平均は、分割前が5万4281円、分割後が8万5394円だそうです。

「え〜。3万円?!」

平均値を見ただけでも受給額は、月額3万円以上増加します。

年金分割を申請したからといって、相手の年金を半分もらえる訳ではありません。ですが、あの時請求さえしていれば、私の年金は月額3万円、年間36万円以上も増額していたのです。この差はとても大きく残念な結果になりました。

この「年金分割」制度は、自ら調べて請求しない限り1円ももらえません。それどころか、こちらから質問しない限り誰も教えてくれません。

「後悔先に立たず」

離婚した時に、キチンと調べて請求しておけば良かったと本当に後悔しています。

みなさまは、離婚時の年金問題をご存じでしたか?

このように離婚の際に、必ず請求すべきなのが「年金分割」です。

繰り返しになりますが、「年金分割」の請求期限は離婚等をした日の翌日から起算して2年以内となっています。

離婚時に一番心配なのはやはりお金の問題です。

私のように、離婚後に年金分割未請求で損失を被《こうむ》っている方は相当数いらっしゃるようです。


二つ目の後悔は、国民年金保険料の免除制度を利用したことです。

今から20年前、元夫と離婚して母子家庭になってから、経験を活かしてとある会社の経理事務を始めました。

職場の環境は最高で、残業は一切無く定時に帰宅できました。

子持ちの私にとってはありがたい職場でしたが、昇給無しの貧給でした。

借金で失踪した元夫からは、慰謝料ももらえず、養育費は途絶えたままでした。どうにか実家の援助を得て新生活をスタートすることができました。でも実父が病気になり援助は途絶えました。

シングルマザーになったので、育ち盛りの子どもを抱えて生活は苦しくなるばかり。国民年金保険料を納めることすら困難になりました。

それで仕方なく国民年金保険料の免除制度を利用したのです。

保険料の免除や納付猶予が承認された期間は、年金の受給資格期間に算入されるので、すっかり安心してしまいました。

ただ将来の年金額を計算する時は、免除期間は保険料を納めた時に比べて2分の1（平成21年3月までの免除期間は3分の1）になります。納付猶予になった期間は年金額には反映されません。

これが老後の年金受給につながる貧困ライフの始まりでした。

もちろん支払っていないので、もらえる年金額には反映しません。

受給する年金額を増やすには、保険料免除や納付猶予になった保険料を後から納める（追納する）必要があります。「子育てが一段落した後に追納しておけば良かった」と今でも後悔しています。

自業自得と言われればそれまでですが、笑ってください。

「こんな老後になるとは！」

離婚時の年金分割無し。低所得三昧の生活は続くよ、どこまでも……。

日本では、生きていくために必要なお金の話って、あまりしないですよね。

私も、社会に出る前に大切な年金のことを学ぶ機会があったら良かったなと思いました。

今は、いつでも必要な情報はネットで調べることができます。もしも悩みごとがあったら、市役所や区役所で無料の法律相談窓口があります。

年金については、お近くの年金事務所、または、日本年金機構にお問い合わせされると良いと思います。

私は、何も知らないで一人で悩んで損をするばかりでした。もっと離婚時に相談して有効な解決策を見いだせたら良かったです。

過去に失ってしまったものは仕方ないです。いつまでも落ち込んでばかりはいられません。

「何事にも後悔のないように生きていかなくちゃ！」

これからも余裕のある暮らしは送れなさそうですけれど、過去を悔いるばかりより、今日という日をしっかり生きていきたいと思います。

いずれにしても、年金をいただけることに感謝しています。

大切なことは、いつまでも健康で明るくポジティブな暮らしを目指すことです。

5　1カ月の生活費をすべて公開します

家賃	43,000円
食費	18,000円
光熱費	11,935円
通信費	3,278円
雑費	0円
交際費	10,000円
医療費	15,640円
交通費	0円
保険料	6,000円
税金	0円
合計	107,853円

今日は1カ月の生活費をすべて公開しようと思います。

突然仕事をクビになり、無職になった4月分になります。私と同じように一人暮らしを

5　１カ月の生活費をすべて公開します

されている方の少しでも参考になったら幸いです。ちなみに忘れっぽい私の備忘録でもあります。

はじめに固定費ですが、家賃は4万3000円です。車は当然ありません。

今日は、家賃の更新日です。大家さんから電話がかかってきました。来月から家賃が3000円上がるとのことです。なんでこんな時に。

首都圏郊外で最寄駅から徒歩圏内の賃貸物件は、どこも高額です。この家賃4万円台の格安物件は、知人の紹介で見つけました。築年数は古いですが、お風呂トイレ別、エアコン付きなど、魅力的な条件がそろっています。

壁紙が剝《は》がれたり、すきま風が入るようなボロアパートではありませんが、修繕が必要な箇所が沢山あります。

今のところトラブルもなく快適に過ごしています。

続いて食費です。

食費は1万8000円です。

今まで買っていたチョコレートやお菓子を控えて、野菜ジュースを買って飲んだりしていました。お菓子の買いだめをやめたので、ひとまず3000円節約できました。

今年は健康診断の結果がよくなかったので、食事制限しておかずの品数を増やしたいと思います。

牛乳も飲みますが、豆乳の方が体にいいみたいですね。朝ごはんに飲むコーヒーは砂糖抜きでブラックにしてみました。毎日ではないけど、たまにはいいかなと思って……。1日3杯くらい飲んでいたのですが、減らすことにします。

私も体調管理に気をつけないといけませんね。

光熱費は1万1935円です。

電気代は5200円、ガス代は2784円です。エアコン使用時は、省エネ設定にして電力を抑えるようにしています。これでも日頃から節電を心がけています。みなさんはいくらですか？

水道代は2カ月に一度の請求で、3951円です。トイレとお風呂の水の使用量を減らし、節水を心掛けています。お風呂ですが、節約のために入浴時はシャワーのみにしてます。

実は、こちらに引っ越す前のアパートはユニットバスだったので、トイレと一緒でした。でも、一人暮らしを始めてからは、週末は湯船に浸かって疲れを取ることが習慣になりました。

それから、お風呂のシャワーヘッドが古くなったので、新しいものと交換しました。水道代やお湯を沸かすためのガス代の節約を目的として作られているものです。水の勢いを保ちながら節水できるので、ちょっと得した気分で快適です。ちなみに、シャワーヘッドの代金は、大家さんからいただいたので0円になりました。「大家さん、ありがとうございます」。

1日のうち3分の1を睡眠にあてているので、就寝時間を早めました。早寝早起きで健康的な生活を送っています。

お金がなくても、工夫して生活するよう心掛けてます。

そして、通信費は3278円です。「安い」って驚かれた方もいらっしゃるかもしれません。

先月、通信キャリアを切り替えました。通話料込みで、通信速度も問題ありません。料金も安いのでとても助かっています。格安SIMには抵抗があったのですが、スマホ代を節約したいと思い、乗り換えました。

「嬉しい！　月々の支払いが1万円近く減りました」

もっと早く換えればよかったと思います。

モバイルルーターは、自宅用に置いてあります。

外出先で使いたい時は、このポケットＷｉ－Ｆｉを使っています。

ポイント還元で実質０円で購入しました。

自宅で使うだけなら、これで十分だと思いますが、まだ使い始めたばかりなのです。

みなさま、他にお得な情報があれば教えてください。

新聞も取っていません。スマホがあれば必要な情報は手に入るからです。

そして、交際費は１万円です。今月は親戚の香典に１万円包みました。使わない時は、貯金しています。毎月のお小遣いは５０００円でしたが、仕事を辞めてから引きこもり状態なので、使う機会が最近はありません。

買い物に行くのはスーパーだけ。そして、雑費は０円です。

今のところ、髪を伸ばしていますが、そろそろ限界です。ちなみに、行きつけの美容院では、ヘアーカットに３０８０円かかります。

マスク生活なので４月の化粧品代は０円です。

そして、４月の医療費は１万５６４０円になりました。思わぬ怪我の治療（ぎっくり腰）で通院しています。ＭＲＩ検査と先生の診断で１万２２４０円、痛み止めのお薬は、２６４０円でした。私は国保で３割負担です。

実は、ＭＲＩ検査は１か所しかできないそうです。翌週、改めて股関節の検査をしました。痛いＷ出費です。

昨日も通院しましたが、痛み止めのお薬を飲んでいるせいか、だいぶ良くなりました。

私の事情をよく知る先生から「万が一動けなくなったら、介護費用として月々10万円ほどかかる」と笑いながら脅《おど》されました。

「確かに……」まだ先のことだけど、準備しておかないと不安ですね（笑）。

他には、毎月１回、内科でもらう服用薬に７６０円かかります。

みなさまは、健康診断で引っかかったことはありますか？

健康だったつもりが、実は……というパターンです。

私は「貧血気味」と診断されました。自分は健康体だと思っていただけにショックが大きくて……。

今は食生活の改善と運動を心掛けています。

あとは、寝る前にストレッチをしたり、アロマを焚《た》いたりしてリラックスするようにしています。

交通費は0円です。今は、徒歩で行ける範囲しか行けません。

交通費は会社負担でした。

続いて、保険料は6000円です。内訳は、共済保険が5000円、傷害保険が1000円です。1日1万円の入院保障と傷害補償を付けています。高額な生命保険は解約して、県民共済に加入しました。年金生活になってはじめて入りました。

そして、税金ですが、4月なので0円です。間もなく送付される納税通知書には税額が記載されるでしょう。

住民税や所得税・国民健康保険など支払いは沢山あります。

4月の支出の合計金額は10万7853円です。

4月は医療費の出費がかさみました。税金が来たら支出はもっと増えるでしょう。

洋服は、主にユニクロで買っています。古着もたまに利用します。

友人に「よう子さんは、値段が安いものに、つい飛びつく癖があるから気をつけよう」と言われて以前「はっ」としたことがあります。

節約意識は大事ですね。外食はほとんどないので、食費はもっと節約できると思います。

うーん、職を失って、今までいかに自分が浪費してきたか、自覚しました。こうして、文字に書き起こすことで、自分自身を見つめなおす良い機会になりました。

「収入がないのにお金は出ていくばかり」ため息ばかりです。

どうしたものかと思いながら計算をしていると、思わぬ出来事が！

この節約生活の一環で家の片づけをしていたら、古い鏡台の引き出しから元夫との結婚指輪が出てきました。ひょんな事からお宝を発見！「ヤッター」。

いま、地金の相場が上がっているので、「ラッキー」。

早速換金したら、何と5万円位になりました。これで家賃も払えます。「タスカッター」。

決して贅沢はしていないつもりですが、出費はかさむものですね。

無理せずに時間もお金も節約できたらいいですね。シンプルな節約・コンパクトな暮らしを実践して、心豊かに暮らしていきたいと思っています。

しかしよくよく考えると、月10万円か、と。

年間で120万円～。90歳まで生きたいとすると、あと25年で計算すると、足りない金額が3000万円なんですね。

来年から年金をもらっても年間80万円ほど。足りない分はやはり働きに出るしかないですね。ぎっくり腰の私には辛すぎる。

どうしようかと悩みますが、悩んでいても仕方がないので、やる気スイッチを入れてどこかパート探しにいかねば！ですね。

……まずは腰を治してから、かな。

6　年金節約のためにやめたこと

今日は私が「年金節約生活のためにやめたこと」をお話ししたいと思います。

みなさまは、どのような節約を心がけていますか？

60代で一人暮らしになったある日、改めて貯金通帳を見て私は「はっ」としました。子どもたちが独立したら少しは生活が楽になるかと思ったら、家計は全く変わらなかったのです。

「何やってんの私？」「このままじゃ、生活していけないわ」

今の生活を変えないと……食費から何から何まで。

「無駄遣い禁止」

そう心に決めてから私の生活ルーティンが一変しました。

年金節約生活のために、やめたことの一つ目は、自家用車です。

自家用車を廃車にしました。ちょうど車検の時期だったのです。

これは本当に思い切った大きな決断でした。

両親が健在だった頃は、よく子どもたちとドライブに行きました。予算オーバーになるので宿泊旅行は無しです。それで前の晩にお弁当を沢山作って早朝出発、ちょっと離れたレジャースポットに向かいました。サービスエリアの芝生では、お弁当を広げて休憩したり、公共の施設で子どもたちを遊ばせたりしました。孫と一緒になって駆け回る両親の笑顔がとても印象的でした。

親孝行もできぬまま、もう二度と会えなくなってしまったことが悔やまれますが、今ではどれも楽しい思い出となっています。

以前は仕事で帰りが遅いので、買い物は週に1回まとめ買いをしていました。車だから、荷物を沢山積み込むことができます。

維持費は高いけれど車って便利ですものね。ガソリン代や駐車料金などの固定費が高額だったので、かなり生活費を圧迫していました。廃車により固定費が削られたことで生活が楽になりました。

近所の駐車場に、カーシェアサービスがあります。短時間で利用する時には重宝しています。子どもも独立したので、いざとなったらタクシーを呼べばいいし……。

週一しか乗らない車は、早く処分すれば良かったと思いました。

やめたことの二つ目は、お買い得品に飛びつくことです。

スーパーの夕方に出る半額食材など、お買い得品を沢山買って、結局使い切れずに捨ててしまう……。

みなさまには、そんな経験ありませんか？

私は「あぁ……またやっちゃった……」と後悔する。これを繰り返すのです。

スーパーで買い物をする時は「安い」という理由だけで買うのではなく、本当に「美味しそう」「食べてみたい」という理由で買うようにしてます。

また、スーパーに行くと、レジ前に置いてあるお菓子などついつい目に入ったものを買ってしまいがちです。子どもと一緒に買い物に行こうものなら、みんなそれぞれ好きな商品をカゴに入れてしまうので、あっという間に無駄な出費も2倍、3倍に……。

一人暮らしになってからも、それが習慣になっていました。悪い癖です。同じものを余分に買ってしまったり、賞味期限切れで残念な結果になってしまうことが度々ありました。

車がないので歩いて買い物に行くようになりました。セール品に惑わされることもなく、手に持てる分だけ、必要最低限の買い物をするようになりました。健康のために運動を兼ねて大正解です。

ただし、重たいお米などの食料品や洗剤、かさばるトイレットペーパーなどの消耗品は、時々ネットスーパーを利用しています。

こちらは、まとめ買いをすれば手数料無料で玄関先まで直接届けてくれます。腰痛持ちの私にとっては非常にありがたいサービスです。それに、必要なものだけをサッと注文できるので、無駄遣いのリスクを減らせるかなって思ってます。

やめたことの三つ目は、延長コードです。

節約を意識した結果、節電を実行するようになりました。当然のことですが……以前は疲れて気が回りませんでした。コンセントから使用していない電化製品の電源プラグを抜けば「待機電力」がカットできるため、毎月の電気代節約につながります。

みなさまは、どのような節電を心がけていますか？

毎回コンセントから電源プラグを抜くのって、非常に面倒くさいですよね。

そんな時に便利なのが、「節電タップ」です。

節電タップは、オン・オフの切り替えスイッチがついた電源タップです。

実は、待機電力は年間の電気代の5～6％を占めるそうです。節電タップを利用するだけで簡単にその分の電気代を節約することができそうですね。

節約生活を始めて私は、延長コードから節電タップに切り替えました。

もしも月々1万円程度の電気代がかかっているなら、600円ほどの節約ができるというわけです。

家では、スマホの充電やパソコンの電源は必須です。私は、個別スイッチ6個口の節電タップを購入しましたが、約2カ月で元が取れる計算です。ちょっと得した気分です。

他には、今まで付けっぱなしだった給湯器は、こまめに電源を切るようになりました。

冷蔵庫の温度設定を弱に変更しました。

もちろん、エアコンなど不用時には電源を抜いておくことを徹底しています。

やめたことの四つ目は、電気事業者です。

地元の電気事業者を解約して、電気とガスをまとめて契約しました。私の場合、首都圏郊外ですが、都市ガスを利用しています。ここは築30年の賃貸住宅で、部屋にも都市ガスの引き込み口があります。

セット割引が適用されるので、電気・ガスをそれぞれ別の事業者と契約している時と比べて、月々の光熱費を節約できます。

「とても便利で安くなって、ラッキー」

新規申し込みで電気代が3カ月無料で、1年目の電気料金が約4500円もおトクになりました。

ちょうど、石油ストーブが壊れてしまったので、ガスファンヒーターを購入しました。ガスファンヒーターは速暖性があり、空気が乾燥することもありません。

石油ストーブのような燃料タンクがないので、本体が軽くてコンパクトです。燃料補給の手間もなく、とにかく暖かいので助かります。

ガス代はかかりますが、小まめにスイッチを切ったりして節約を心がけています。

また、電気やガスに関するトラブルが発生した時には、連絡先を一つだけメモしておけばいいので、緊急時にも慌てずにすみます。こんなにお得なサービスなら、もっと早くに契約すれば良かったです。

やめたことの五つ目は、固定電話です。

みなさまは、『固定電話』を活用されていますか？

携帯電話の通信キャリアを切り替えると同時に固定電話をやめました。

「スマホがあれば固定電話は要《い》らない」と思い、思い切ってやめました。

町内会の連絡網や銀行などへの届け出変更の手続きに手間がかかりました……。

大きな理由は、セールスばっかりかかってくることです。これで「オレオレ詐欺」の被害者にならずにすみます（笑）。

通信費の見直しをしてスマホ代を節約したいと思い、通信キャリアを切り替えました。

一人暮らしの通信費は、スマホやインターネット回線で高い契約をしていました。

通信キャリアを切り替えてから、「月々の支払いが1万円以上減りました!」。

今のところ満足しています。

やめたことの六つ目は、光回線です。

格安Wi－Fiに変更しました。今のところ、パソコンにも充分に対応しています。

外出先で使いたい時は、ポケットWi－Fiを使っています。ポイント還元で実質0円で購入しました。

正直、まだ、切り替えたばかりでよくわかりません。「もっとよく調べなければ」と思っています。

みなさま、何か良いものがあれば教えてください。

やめたことの七つ目は、生命保険です。

生命保険は補償が充実しています。でも毎月の支払いがとても大変でした。

そこで、4年前に生命保険を解約して県民共済に加入しました。

掛金が安く、経済的負担が少なくてすみます。年に一度の割り戻し金があるので満足度が向上しました。

ところで、みなさまで「ミニマリスト」を実践されていらっしゃる方はいますか？「ミニマリスト」とは本当に必要なモノだけに囲まれて、ごくごくシンプルな暮らしをする人のことだそうです。

私にとって「理想の暮らし」です。

私は、お店に行く前に必ず買い物リストを作っていきます。でも、つい誘惑に負けてしまいます。

ミニマリストになるには、「これは必要か、必要でないかを冷静に見極めること」だそうです。

「最小限の」という意味合いを持つ「ミニマリスト」。たとえ半額シールがついた品でも、リストになければ買わない勇気が欲しいです。

みなさまは、どのように節約をされていますか？

私は今まで貯金がうまくできなかったし、節約が続けられなかったです。お金がないのに、毎月の支出の把握ができていなかったのです。捨てられない大雑把な性格を深く反省しています。

捨てられずにいた古本4箱に古いバッグ、切手など、リサイクルショップに持っていったら、何と8万円にもなりました。先日の指輪など貴金属の換金5万円と合わせると、約13万円になりました。これで、税金が来ても大丈夫です。

節約は、抑えられる代わりに、大事なもの、必要なものを切り捨てないように熟考して実行したいです。便利なもの、役に立つものは必要経費かなって思っています。

死ぬまで続く年金生活。

大きな無駄を削ぎ落としたら、心も財布も楽になり、びっくりするほど節約できます。

続けて、無理なくシンプルな節約・コンパクトな暮らしを目指していきたいと思います。

今日の料理は「玉ねぎとチキンの照り焼き炒め」でした。

7 年金が減額

朝ごはんは、3本99円のバナナと、いつものコーヒーと、ふわふわホイップクリームドーナツです。

大好きだったおやつを控えていたので、甘いものが欲しくなりました。久しぶりに食べたドーナツは、最高に美味しかったです。

食後は、ハンドワイパーで掃除しました。コンパクトな部屋なので3分で終了です。お気に入りのエプロンも洗濯しなくちゃ。

お日さまの下で干したいけれど、家にはベランダがありません。

でも、浴室には、窓があっていい風が入ってきます。おかげで洗濯ものは、直ぐに乾きます。節電のため、お風呂乾燥機は使用しません。

さて、みなさま既にご承知の通り、4月から始まる新しい年度の年金が、6月15日に振り込まれました。

今日は、日本年金機構から届いた、私の「年金額改定通知書」の内容を公開したいと思います（2022年）。

毎年5月末から6月にかけて発送されるこの書類は、これから1年間振り込まれる年金の金額を知らせるものです。

周知の通り、2022年の4月からはマクロ経済スライドで年金が0・4%減額され、テレビニュースでも大きく取り上げられました。

みなさまは、どれくらい減額されましたか？

以前、お話ししましたが、私は60歳から特別支給の老齢厚生年金（報酬比例部分）をもらっています。

令和4年4月からの年金額は、20万9067円（年額）です。

そして、改定前の年金額は、20万9908円でした。結果、前年比841円も年金額が減額されました。

たったの841円ですが、私にとっては1日分の食費に相当します。

少しでも多くなると嬉しいのですが、減額となるとため息が出ます。

ちなみに、令和4年6月から令和4年12月の各期支払額（2カ月分）は、3万4844円で、4月、5月分が6月15日に振り込まれました。

改定前の各期支払額（令和4年4月の支払額）は、3万4984円でした。

60歳からもらっている特別支給の老齢厚生年金は、手を付けないで貯金してきました。

パートの給料だけで、どうにかやりくりしてきたからです。

　でも、パートの仕事をクビになってから、思わぬ医療費がかさみました。収入がないのに、僅かな貯金は減る一方です。

　でも、60歳から特別支給の老齢厚生年金をもらっていたので、その貯金を使って、医療費に充《あ》てることができました。

　たとえ少額でも、年金収入があるのは嬉しいことです。

　大切に使わせていただきます。

　誕生日を迎えると65歳になり、特別支給の老齢厚生年金の代わりに、新たに老齢基礎年金と老齢厚生年金を受け取ることになります。

　受給額が増えても、月7万円弱の金額です。元気なうちに働いて、少しでも老後の蓄えが欲しいです。

　そう考えると、私の年金節約生活は、まだ始まったばかりですね。今後の年金一人暮らしを考えると、健康で働きながら、頑張っていかねば、ですね。

　天気がいいのでちょっと散歩に行ってきます。

　医療費といえば……実は、ずっと食欲が無かったのです。お腹が痛くて、寝たり起きたりしてました。

またかって、本当にがっかりしてしまいます。ぎっくり腰再発かなと疑うくらい、腰も痛くなっていました。でも、横になって休んでいれば、そのうち良くなると思っていました。

しかし、容態は悪化するばかりです。それで、仕方なく病院に行きました。

先生は触診を終えると、直ぐに診断を下しました。

「急性胃腸炎ですね」

「急性胃腸炎？」

「胃も大腸もカチカチだね、腰や背中も痛いでしょう」

「また、ぎっくり腰かと思った」

今回の腰痛は、急性胃腸炎によるものでした。胃腸と腰痛の意外な関係性が明らかになりました。胃の痛みと同時に起こる関連痛ですって。知らなかった……。

腰痛を伴う内臓の病気ってあるんですね。

「何でもっと早く来なかったの」

「いやその……」

珍しく先生に叱られてしまいました。

「何かあったら困るでしょう」

一人暮らしの私には、心に響く言葉でした。

幸い、大事には至らず、処方薬を飲んで、一晩寝たら良くなりました。念のため、後日、大腸がんの検査をすることになりました。医療費がかさんでも、健康第一です。

本当に早く行けば良かったと後悔しました。冷たいお水の飲みすぎかもしれません。

仕事の無いこの時期に、しっかりと検査して、治しておこう。

そしたら、元気に仕事に向き合える。ポジティブ思考で明るく楽しく暮らしていきたいと思います。


さあ夕飯の支度をしましょう。

今夜は、ずぼらな私でも超簡単な「豚バラキャベツのフライパン蒸し」です。

ビタミンB_1を多く含む豚肉は、疲労回復にはもってこいの食材です。

豚バラ肉とキャベツは、相性抜群です。

豚バラの薄切り肉とキャベツを使います。

フライパンにキャベツを広げて入れ、豚肉を広げてのせる。酒を回しかけて蓋をして、蒸し焼きにします。肉に火が通れば完成です。

ポン酢だれは、ポン酢しょうゆとラー油を混ぜるだけです。お好みの薬味をいれてもOK。

私は、ポン酢しょうゆにごま油を加え、ラー油、長ネギのみじん切り、捻《ひね》りごまを追加しました。

キャベツの他にも、エノキやしめじなどのキノコを加えても、美味しそうですね。

せっかくの料理が冷めないうちに、いただきます。

フライパンごと食卓に登場です。

簡単で美味しいのでよく作って食べます。ボリューム満点の「豚バラキャベツのフライパン蒸し」ですが、酸味控えめなのでごはんがすすみます。

胃に優しいキャベツを沢山摂取できたので良かった。

さっぱりとしたポン酢とごま油風味の辛味ソースが効いて、すごく美味しかったです。

美味しいものを食べると、不思議と元気が湧いてきます。

8　四つ葉のクローバー

午後になって、少し小雨になったので、いつもの公園に向かいます。

6月の雨の日のお散歩は、人も少なくて、草木の香りがアロマみたい。

そんなことを考えて歩いていると、道端のシロツメクサに呼ばれたような気がしました。

雨に濡れても健気《けなげ》です。

見つけました、四つ葉のクローバー。

こんなところに、こんなに沢山、生まれて初めて見た。

すごく嬉しい。何かいいことありそう。このままそっとしておくからね。

9　YouTubeを始めた理由

プライベートで、悲しいことがありました。

優しかった叔母が帰らぬ人となりました。母亡き後、叔母はずっと心の支えでした。

「これ美味しいから召し上がれ」

「上等な生地があるからスーツ仕立ててあげるね」

叔母は、腕の良いお針子さんで、料理の腕前は絶品でした。

本当によくしていただきました。何もお返しができないまま、お別れしました。思い出すと涙が止まりません。

「くよくよするな」って叔母に叱られそうですね。元気にならなきゃ。

お昼ごはんは、叔母の香典返しにいただいた「おかず味噌　国産九条ねぎ」の味噌おにぎりとインスタントのスープはるさめです。

おかず味噌は、ちょっと甘めで子どもにも食べやすい味でした。スープは、非常食用に息子からもらったものです。

お腹は十分満たされましたが、野菜がないのでビタミン不足ですね。


食後の一時、私はコーヒーを飲みながら、スマホやパソコンで、YouTube《ユーチユーブ》を見るのが唯一の楽しみです。特にYouTubeには様々なコンテンツがあるので、飽きること無く見てしまいます。

64歳一人暮らしの私がYouTubeを始めた理由は、3つあります。

一つ目は、たまたま一人暮らしのみなさんの動画を見て、私にもできるかなと思ったからです。

人それぞれ人生って色々ありますが、ご多分に漏れず、私も波瀾万丈《はらんばんじょう》な人生を送ってきました。

「嘘でしょ」「あり得ない」みなさんそうおっしゃいます。

でも、「事実は小説より奇なり」です。振り返れば、まるでテレビドラマさながらの人生でした。同年代のみなさんの様々なご苦労をYouTubeで拝見させていただく度に、同じような共感を得ていました。

その中で、逆境に負けずに頑張っておられる様子に私は沢山勇気をいただきました。

そして、やってみようと思ったのです。

私が人生で辛かった時に、沢山の人が手を差し伸べてくださいました。

二つ目は、生きがいです。

歳を取ると体力も気力も衰《おとろ》えて、不安ばかりが募ります。私には、これといった趣味もなく、食事もあるもので簡単にすませてしまいます。

それに仕事をクビになったショックで、張り合いを無くしてしまいました。

そんな時、大好きなYouTubeを見て、「これだ」って思いました。

好きなことや興味のあること、できそうなものからチャレンジしてみようと思います。

三つ目は老化防止です。

一人暮らしになってから、仕事以外、人と話す機会はなくなりました。

最近は手紙も書かなくなり、漢字は忘れる一方です。体も脳も使わないと錆《さ》びるそうです。

そして仕事を失い、怪我をキッカケに引きこもり状態になりました。時々誰かとＬＩＮＥのやり取りをするだけで、一言も喋《しゃべ》らない日もあります。

すると、誰もいない部屋の中で独り言を呟いていました。

心配した息子は、毎日電話をかけてくれますが……。


「このままじゃ駄目だ！」

そこで「何か始めよう」と思ったのです。パートの仕事をしつつ、手作り料理をYouTubeに投稿することができたなら、毎日楽しく元気に過ごすことができます。今はまだ、未熟ですが、パソコンの勉強をすることで、脳を鍛えられます。

大好きなYouTubeで、若返りができたら一石二鳥です。

そしたら、元気ハツラツ、90歳まで生きられます。

まだ始まったばかりですが、頑張って続けてみようと思います。

10 失業保険がもらえない

今日は、私の失業保険とパートの仕事探しについて、お話ししたいと思います。

ちょっと嬉しいお知らせもあります。

みなさまは、失業保険をもらったことありますか？

実は私、失業保険をもらったことがないんです。

仕事探しで、ネットを色々検索してたら、失業保険のキーワードが出てきました。会社都合により退社の場合は、ハローワークで失業保険の手続きをすれば、直ぐにもらえるような感じでした。

お恥ずかしながら、余りにも無知なので、ハローワークに聞くしかないと思いました。善は急げです。失業保険もらえるかな、期待は膨《ふく》らみます。

早速、失業保険の手続きについて、ハローワークに電話しました。すると、ずっと電話がつながらないのです。

ビックリしました。噂には聞いていたけれど、こんなに混んでるんだ。

やっぱり、直接行かないとダメかな、ため息が出ます。

不安に駆られながら電話をかけ続けた結果、やっとつながりました。

緊張して、うまく説明できませんでした。

でも、電話口の職員の方は、親身になって答えてくれました。

「お手元に離職票ありますか」

「はっ、離職票？」

こんな世間知らずのおばさん、私以外にいますか？　果たして、失業保険はもらえるのでしょうか。

照会の結果は、残念でした。

理由は単純、ハローワークが定める失業保険の基本手当（失業手当）受給の条件を満たしていないからです。

①離職票が発行されてない。

②60歳になってから（パート勤務になってから）雇用保険に加入していない。

③失業保険（現在の雇用保険）と65歳までの老齢厚生年金は、同時に受給できない、などです。

雇用保険を支払ってなかったので、仕方ありません。就職祝い金もありません。

失業保険は諦めて、自力で仕事を探すことにしました。

早速、検索開始です。

リクナビネクストやマイナビミドルシニア、インディード、テンプスタッフ、バイトルNEXT、シニアジョブエージェント、など、手当たり次第に60歳以上でググってみました。

60代歓迎のお仕事を多数ご紹介……仕事は沢山ありました。

時節柄、看護師や薬剤師などの医療関係者の募集は、とても多かったです。他には、介護福祉士やケアマネジャーなどです。

でも、私には、何の特技も資格もありません。私にもできる仕事の募集はあるかな。仕事があれば何でもいい。

私でもできそうな仕事で一番多く目に付いたのは、介護職員や施設警備員、清掃作業、マンション管理人の募集などです。しかし、介護や警備会社など体力が必要な仕事が多く、慣れない仕事は、ちょっと無理かなって思いました。

私の仕事探しは続きます。

地元のフリーペーパーや掲示板から探しましたが、若い方向けのアルバイト募集がほとんどでした。

年齢不問の仕事は、資格保持者を対象にした求人か、体力的にきつい仕事でした。コンビニの夜勤に応募しましたが、男性希望とのことでした。

事務職の仕事は、年齢で断られました。「うちは65歳で定年なんですよ」64歳一人暮らしの私には、ショックでした。

疲れ果てて、携帯の電話帳を見ていたら、昔、仕事でお世話になったマネキン紹介所（マネキンクラブ）を見つけました。そこで、思い切って直接電話しました。

すると「一度事務所の方に来てほしい」とのこと。

クラブに登録できても、斡旋《あっせん》してもらえるだろうか。

不安な気持ちを抑えて、勇気を出して面接に行ってきました。

面接は、とても緊張しましたが、婦人服の販売経験を評価されて、すぐに派遣先を斡旋していただきました。

すでに登録済みなので、履歴書は不要でした。

仕事は婦人服の販売です。シフト制で月に10日ほどの勤務になります。立ち仕事ですが、パソコン作業もあります。

以前のキャリアを活かして、来月から働けるようになりました。

仕事をクビになって早3カ月、怪我や病気

で悩まされました。ご心配をおかけして申し訳ございません。

腰痛は大分良くなりました。肝臓の数値も徐々に回復しています。大腸がんの検査結果は、問題無しでした。

お酒は飲めないので、串団子でお祝いしました。

美味しかったので、一気に食べちゃいました。

11 仕事が始まって最初の休日

7月18日は、パートを始めて最初の休日です。

朝ゆっくりできる休みは嬉しいです。今日の朝ごはんは、和食にしよう。

ということで、早速朝食の準備に取り掛かります。

和食といったら味噌汁でしょう。わかめと油揚げの味噌汁を作ります。

ずぼらな私ですが、たまにはやってみよう。

メニューは、ごはん・お味噌汁・焼き鮭にひじきの煮物です。

ひじきの煮物は、昨日作った残りを冷蔵庫から取り出して、温めるだけです。

厚焼き玉子を焼こうと思ったけれど、食べきれないから、まっいいか。炊き立てごはんが何よりのご馳走です。


朝ごはんを終えたら、いつもの公園に向かいます。いつもの散歩道。木陰と木漏れ日の美しい朝。

影が波のように追いかけてきます。

日差しが強くなってきました。

今まで生活に追われてて、心にゆとりなんてなかったなぁ。休みの日には昼まで爆睡してたし、朝の散歩なんて夢の中だった。

今まで、やりたいことは一杯あったけれど、お金がかかるので諦めていました。

お金をかけなくても、楽しいことってあるんですね。

「趣味は散歩」ってちょっといいかも。

こうして散歩に出かけるようになって、心が穏やかになりました。公園の中を歩いているだけで心が癒されます。

最高です。

お昼ごはんは、納豆ひじきごはんを食べました。そして、午後からヘアーカットに行きました。

今までは2カ月に1度美容院へ行ってましたが、3カ月以上行ってません。もう限界かな。行きつけの美容院から、案内状が届きました。美容師さんのカットはとても上手で、いつもお任せでした。

でも、シャンプーカットで4000円です。ごめんなさい、もう無理です。

暑くなったので髪を短くしたいと思い、初めて1000円カットに行きました。時短で待ち時間も少なかったです。

カットだけなのでとにかく速い。あっという間に終了です。忙しい方にはいいですね。

驚いたことは、エアウォッシャーで切った髪を一気に吸い込んだことです。毛だらけにならなくて良かった。

以前から、この店の存在は知っていましたが、こんなに上手なら、もっと早く使えばよかったです。
髪型は、すっきりショートヘアです。これならシャンプー代も節約できそう。
帰りは、スーパーに寄ってお買い物をしてきました。
道端にはアジサイの花が満開でした。
いつものコーヒーで、ちょっと一休み。今日は暑いので、アイスコーヒーにしました。

12 おいしくなーれ

今日はパートの仕事があるので、朝のお弁当作りの様子をご紹介させていただきます。
今日のシフトは遅番なので、沢山作って後で食べます。
夏の暑さに負けないように、ニンニク生姜の効いた鶏の唐揚げ弁当を作りました。
さあ始めましょう。
立派な鶏モモ肉を1枚使います。

60代一人暮らしの私にとっては、ちょっと豪華なメニューです。

まず最初に、鶏モモ肉1枚約３００ｇの筋や軟骨を取り除いていきます。美味しい唐揚げを作るのに、下処理は大事な作業です。

鶏モモ肉の大きな塊《かたまり》には、隠し包丁をいれます。火の通りを均一にするため、鶏モモ肉を一口大に切ります。厚手のポリ袋に切った鶏肉を投入したら、鶏肉に下味をつけます。

すりおろしショウガ　小さじ1、すりおろしニンニク　小さじ1、塩こしょう少々、そして、酒　大さじ1、しょうゆ　大さじ2。

しっかり袋を閉じたら、袋の上からしっかり揉み込みます。

「おいしくなーれ　おいしくなーれ」

呪文を唱えてモミモミ。ポリ袋なら手が汚れなくていいですね。

そのまま15分以上つけ置きします。その間に、副菜を作っていきます。

昨日、少し作り置きしておけば良かったな。パートの仕事は月に10日ほどなので、必要な時に必要な分だけ作ります。

冷蔵庫にかぼちゃがあるので、かぼちゃの煮物にします。

材料は、かぼちゃ　4分の1個に、水、酒、しょうゆ、顆粒だし。

鍋にすべての材料を入れて煮立たせたら、クッキングシートで落し蓋をして、かぼちゃが柔らかくなるまで10～15分煮ます。

かぼちゃの煮物は、短時間でも味が染みるし、簡単で美味しいから好きです。その上、かぼちゃは、ビタミンEたっぷりです。ちなみに、ビタミンEは、「若返りのビタミン」とも呼ばれているそうです。

ホクホクになるまで水分少なめに仕上げました。

続いて、冷蔵庫にピーマンがあったので、ピーマンのたらこ炒めを作りました。おかずにもおつまみにもピッタリな一品です。ピーマンはヘタと種を取り除いて細切りにします。

たらこは、凍ってる内に薄皮を取り除きます。たらこは、冷凍の切れこです。

見た目は良くないけど味は一緒。美味しいから、関係ない。

中火で熱したフライパンに油をひき、ピーマンを炒めます。

ピーマンに火が通ったら、たらこを加え中火で炒め、小さじ1の麺つゆを回し入れます。

全体に味がなじんだら、火から下ろして完成です。

塩加減は、お好みで麺つゆの量を調整してください。

そして、お弁当に卵焼きは欠かせません。

卵2個、さとう　小さじ1、しょうゆ　少々、塩　少々。

卵は、調味料を加える前にこすとキメが細かくなりフワッと仕上がりますが、スボラな私は気にしない。厚焼き卵は、何度焼いてもうまくいかない。

クルクル巻いて、綺麗な卵焼きって難しい。

30点。

冷めても美味しい卵焼きの完成です。

ごはんが炊けたので、おにぎりを作りました。ちょうどお茶碗1杯分で、可愛いゆかりおにぎりができました。

副菜を作っている間に、鶏肉が調味液によく浸かりました。さっくりとした食感にするために、片栗粉を使います。片栗粉が無かったら、薄力粉でもＯＫです。

薄力粉を使うとややしっとりめに仕上がります。余分な水分が残っていたら捨ててください。

片栗粉を大さじ3〜4入れ、サクッと混ぜ合わせます。

片栗粉が少し残ってる感じです。

少ない油で揚げ焼きにします。最初は強火でフライパンを温めます。

弱火にして皮目を下にして3分。裏返して3分、さらに強火で裏表1分ずつ焼きます。

フライパンに油をひいて、焼き上げる感じです。中はジューシーで皮はカリッと焼けます。

こんがりときつね色に、カラッと揚がれば揚げ上がりです。受け皿には、牛乳パックを使用します。

朝からテンション上がります。

冷ましてから盛り付ければジューシーな唐揚げ弁当の完成です。

それでは、今日も元気に行ってきます。

13　みなさんは老後も働く？　一人暮らしでも生活費は足りない

ずっと体調不良のため仕事ができなかったので、体が衰えてしまったようです。急に仕事を始めたら、職場で足がつることがありました。

調べてみたら、仕事中に足がつるという症状は、「筋肉の疲労」と「水分やミネラルの不足」が重なって起こる事が多いそうです（足の筋肉の衰えという説も）。

ミネラル分を多く含む飲み物、食べ物やサプリメントなどを十分に取ることが必須とのこと。

そんな訳で、ミックスナッツを買って、おやつに食べることにしました。

カリウムを多く含むトマトなどはよく食べていますが、他にはバナナ、ブロッコリーなどもカリウムを多く含む食品だそうです。

野菜も高くなっているので、キャベツを買ったら使い切るといったように、栄養のことを考えて食事を取るのは大変です。

60代一人暮らしの私は、どうしても食生活が偏《かたよ》りがちになってしまいます。

ところで、みなさまは年金をいくらくらいもらっていますか？

前にも書いたように、私は現在64歳で、60歳から特別支給の老齢厚生年金（報酬比例部分）を受給しています。年金は月に約1万7500円です。

来年65歳になると老齢基礎年金が加算されるので、月7万円弱になる予定です。

一人暮らしとはいえ、月7万円では厳しいです。

今は僅かな貯金を切り崩して、食費をつめたり生活費をつめたりして暮らしています。

今物価が上がっているのに年金は下がるし、また他の国でも戦争が始まって、景気がどんどん悪くなっています。

みなさんは老後も働きますか？　私は、やっと仕事が見つかって、今月からパートの仕事を始めました。

やはり、新しいことを覚えるのは大変です。立ち仕事なので、慣れない仕事は体力的にもきつく、健康でなければ続かないなって思います。

自分もいつ何があるかわからないので、不安ばかりです。

金融広報中央委員会の「家計の金融行動に関する世論調査【二人以上世帯調査】」（令和3年）によると、「老後2000万円問題」をクリアしているのは60代では僅か3割だそうです。

一方で、60代の約2割が「貯蓄ゼロ」世帯なのだそうです。

老後の生活費は、貯蓄と年金で過ごしていこうと考えていらっしゃる方が多いようですが、貯蓄を十分に備えられている世帯の方が少ないことがわかりました。

突発的な支出や医療費など、ある程度の備えは必要です。

年金だけではかなり厳しい。やはり、元気に一生働かなければならないんですね。

老後の不安は増すばかりで、ため息が出ます。


夕飯は、冷蔵庫の中にあるものでミートパスタを作りました。

パスタは、話題の水漬けパスタに挑戦しました。パスタを水につけるとどうなるのかなって気になりますよね。

感想は後ほど。

翌日のお弁当の副菜にもなるので、パスタは2人前です。長い間冷凍庫で眠っていた合いびき肉と、カットトマト缶を使いました。

玉ねぎが高くなりましたね。安価で保存野菜の優等生だったのに、今では高価な野菜になってしまいました。

美味しそうな玉ねぎは、大切に使わねば。玉ねぎと人参、ニンニクはみじん切りに。ニンニクは、冷凍保存したものです。

米油は、ちょっとお高いですけど、体にいい万能油です。

油はカロリーが高いって良く言いますけれど、料理を美味しくするものって油なんですよね。

火加減は中火です。

ゆっくり時間をかけて、焦がさないように、木べらで炒めていきます。

玉ねぎが透き通るまで炒めたら、水分を飛ばして行きます。

玉ねぎがしんなりしたら、自然解凍した合いびき肉の登場です。

待機していた合いびき肉、行ってらっしゃい。

手早く合いびき肉を炒めて、少し色が変わったら塩こしょうとコンソメ、缶詰のトマト、水を加えて煮詰めます。

砂糖とケチャップ、しょうゆで味を調《ととの》えます。

このまま焦がさないように煮詰めれば完成です。

トマトに含まれるリコピンには、βカロテンの2倍以上、ビタミンEの10倍以上の抗酸化作用があるそうです。

リコピンは、血管や皮膚にダメージを与える活性酸素を抑えたり、取り除いたりする働きもあって凄く優秀ですね。

歳を取ると、肌や体の衰えが気になります。トマトのリコピンでブロックしたいです。

ここである疑問が湧きました。

体に良いリコピンですが、生で食べなきゃ効果ないのかな？

大丈夫。

リコピンは加熱しても壊れにくい成分で、油と一緒に摂《と》ることで吸収力が高まるそうです。

我が家のミートソースは、裏切らない定番のメニューです。

水漬けパスタは、乾燥パスタを容器に入れひたひたの水を注いで数時間放置します。

茹で時間は本当に1分ほどで、生パスタのようにもちもちのパスタにゆであがりました。

ミートソースに味が良く絡んで、とても美味しかったです。

14 買い物金額発表

――エアコン壊れて熱中症

8月に入ってからも、猛暑が続いています。

私は、どうやら夏バテしたみたいです。

夜になっても気温は下がらず、寝苦しい夜が続いています。

家のエアコンの調子が悪くて、暑くて眠れません。

朝から食欲が無いので、困りました。

私の住むアパートは古いのですが、家の家具も年代物です。家にはダイニングテーブルが無く、傷だらけのこたつテーブルがあるだけです。こたつヒーターも壊れたままで、何年も使っていません。

ソファーも、一見豪華そうですが、古くてもうボロボロです。座るたびに何やら中身が落ちてきます。このまま、補強します。

ソファー周りを掃除して、これでよし。これでまた、しばらく使えそうです。

良かった。ホッとしたのも束《つか》の間、事件が発生しました。

微動ながら運転していた家のエアコンが完全に壊れてしまいました。

何度もエアコンのスイッチを入れて再運転を試みました。それでも、動かないのです。

原因は室外制御基板不良でした。

早速、近所の電気店に問い合わせたところ、「旧タイプのエアコンなので、部品がありません。買い替えになります。ただ、折からの〝半導体不足〟で、エアコンの取付は、早くて9月以降になります」とのことでした。

「早くて9月以降？」

びっくりしました。それでは夏が終わっちゃいます。

修理ができないということなので、丁重にお断りしました。それに新しいエアコンは買えない。今の私にそんな余裕はありません。

わかっちゃいるけど、今年の夏は、扇風機で乗り切るしかない。落ち込んでいても仕方がありません。

気分転換に散歩を兼ねて、スーパーに買い物に行くことにしました。

いつものように、グーグルレンズで花言葉を調べました。

ピンクの花は、ペチュニアです。ペチュニアの花言葉は、「あなたと一緒なら心が安らぐ」です。

素敵な花に出合えて嬉しい。美しい花を見ると自然に心が癒されます。

さて、スーパーで買い物をしてきました。

豚肩ロース切り落し特売品	398円
ツインパック絹豆腐	88円
ぶなしめじ	98円
万能ねぎ	128円
外税	56円
合計	768円

今日の買い物は、合計７６８円です。

節約生活を始める前は、スーパーで見つけたセール品に飛びついていました。今では、必要最低限の買い物だけですませています。

大量パックは、小袋に入れて冷凍して、数回に分けて使っています。沢山作ったときは、後で食べたり、お弁当にしたりしています。

一人暮らしなので、できるだけ買い物は控えています。

今日の日中は気温が上昇したので、熱中症警戒アラートは「危険」でした。汗をかいて帰宅しても、エアコンは壊れて動きません。

もしかしたら、朝の体調不良は、エアコンの故障が原因の熱中症だったのかもしれません。

これはまずい。ちょっと休憩して、冷たいこうじ甘酒を飲みました。

昨日から、冷蔵庫に入れて冷やしてあったので、冷え冷えです。

こうじ甘酒は「飲む点滴」と言われています。エアコンがないので、水分補給が大切ですね。濃縮タイプの甘酒に豆乳をプラスしたり、ヨーグルトを混ぜても美味しいです。

暑い夏を乗り越えるのに、最適な飲料です。

ところで、今月からパートの仕事が始まりました。パートの仕事といっても応援要員で、月に10日ほどの勤務です。

手に職の無い私を雇ってくれて本当にありがたいです。

職場は婦人服売り場です。

仕事はシフト制なので、遅番になると帰りは夜9時過ぎになります。

私はパートですが何でもします。パソコンの入力や発送準備、事務用品の買い物など様々です。

仕事はやはり大変です。初日は、ぐったりして帰宅したのを覚えています。

そして翌日、ちょっと仕事でトラブルがありました。

レジ打ちがまだ苦手なんです。

「何か困ったことがあったら、遠慮なく相談してくださいね」と、先輩パートさんが言ってくれました。

でも私は、まだ一人で何もできない新人ですから、どうすればいいのかわかりません。

「あの……、私、どうしたら？」

そう訊《き》くと、彼女は私の肩をポンと叩き、「まあ、あなたはまだ入ったばかりだから、わかんないことも多いと思うよ。わからないことは聞けばいいんだって。みんな教えてくれるからさ」。

それからは、何かある度に先輩方に相談しています。

みなさんとても親切に色々教えてくれます。私には、もったいないくらいです。ですが、パートの給料は、月末締めの翌月払いです。昼食代や交通費も持ち出しで、とても厳しいです。

3カ月も無職だったので、仕方ありません。

多くの方々がそうであるように、少ない年金だけでは生活できません。私も僅かな貯金を切り崩して、どうにかやりくりしています。

とにかく、やっと探し当てた仕事です。しばらく、ここで頑張ってみようと思います。

体調の方は、肝臓の数値が良くなっているとはいえ、やっと基準値の2倍です。完治するには、まだ時間がかかりそうです。

パートの仕事をしながら、持病の腰痛とも上手に付き合っていくしかありませんね。

体のこと、仕事のこと、次々と壊れる家電製品など、本当に色々あって落ち込んでいました。

でも、YouTubeでみなさまから沢山のコメントをいただいて、勇気と元気をもらいました。

15　1日の食費659円
——節約しながら好きなものを食べて過ごす

暑いので、のど越しのいい納豆そうめんを作りました。

いつもは、そうめんに納豆をぶっかけるだけです。簡単でしょう？　今日は、卵があったので、半熟卵を加えます。

納豆そうめんは、一見、何じゃこらって思いますが、とても美味しいです。納豆好きにはたまりません。クラシルのレシピで「半熟卵がとろーり納豆そうめん」を参考にしました。費用はたったの100円でした。

天気がいいので、散歩に行ってきます。

昨日、職場で婦人服の値札シール作りをしました。

サマーセールの繁忙期に値段を間違えると大変です。老眼鏡をかけての細かい作業は本当に神経を使います。目が疲れました。

遠くの空を見上げて、目の緊張を和らげます。

癒される〜。

帰宅したら、午後のおやつの時間です。仕事を始めたので、よく食べられるようになりました。

昨日仕事帰りにスーパーで買い物をしました。大好きなポテトチップスと国産牛肉が安くなっていたので、買ってきました。

ずっと前から好きだったけど、体のことを考えて控えていました。

ポテトチップスの解禁です。**たまには、いいか。ポテトチップス祭りだぁ。**

何せ5カ月ぶりなので、ちょっと興奮気味で失礼しました。

手を汚さないようにお箸で食べます。

うまっ！

こちらのポテトチップスは、一袋60円でした。

夕飯は、久しぶりに牛丼を作りました。

牛丼といえば「うまい、やすい、はやい」吉野家の牛丼が有名ですよね。一人で外食は

しないので、行ったことがないです。一度食べてみたいです。

冷蔵庫に残り物の水菜があったので、水菜とツナ缶を使ったサラダにしました。ツナ缶の旨味があるので、塩コショウで和えるだけです。

裏切らないこの味は、続けて食べても飽きません。

牛丼最高です。

今日は、牛丼用に国産牛切り落とし200gを使いました。残りは明日のお弁当にしました。

牛丼の費用は一人前300円、味噌汁とサラダは80円、夕飯の費用は380円でした。

～1日の食費～	
コーヒー	15円
シリアル＆ミルク	99円
麦茶（2.1ℓ）	5円
納豆そうめん	100円
スナック菓子	60円
牛丼	380円
合計	659円

私の今日の食費は、合計６５９円。

ポテトチップスを我慢してたら合計５９９円でした。

私の１カ月の食費の目標は、１万８０００円です。１日あたり６００円の計算になります。

できれば２万円以内に収めたいと思います。

まっいいか、お腹も満たされて大満足です。

これからも日々の暮らしを楽しみながら、節約生活を続けていきたいと思います。

16 シニア女性のパートの仕事――お金持ちと貧乏人

今日は、東京まで行ってきます。

千葉県は東京のベッドタウンといわれています。通勤圏内とはいえ、今日の目的地までは、片道1時間半もかかりました。

毎日往復2時間以上かけて通勤するのは、当たり前ですがやはり大変です。みなさま、お疲れ様です。

やはり、朝の車内は、大変混雑していました。

本日の会場となるホテルの入り口に、ど派手な車を見つけました。『ＯＮＥ　ＰＩＥＣＥ』映画最新作とメルセデス・ベンツの最新ＥＶ車のコラボイベントでした。ルフィもいました。

あとはよくわからないけど、やっぱり東京って凄いなぁ。緊張する……ボールルームと呼ばれる大きな部屋は、天井が高くて、驚きました。日本語では多目的ホールと呼ばれています。

ちなみに、「ボールルーム（ball-room）」とは「舞踏室」という意味です。

こちらの会場は、某有名芸能人の結婚式に使われたそうです。凄く豪華で圧倒されてしまいました。

会場には、宝石や時計、絵画、ハンドバッグ、婦人服などの高級品が所狭しと陳列されていました。

私の仕事は、ご来店されたお客様のご案内と記念品のお渡しでした。

楽な仕事かと思ったら、ＶＩＰのお客様ばかりで、とても緊張しました。

昼の休憩は、ホテル内にスタッフ専用の部屋が用意されていました。休憩室なのに結婚式場みたいなテーブルがありました。凄い。

そのうえ、10種類もの高級弁当から、好きなものを選ぶことができました。もちろん、お茶とお水は無料です。

私は先輩のみなさんと一緒に、とんかつ弁当をいただきました。とても美味しかったで

す。

以前は、年に2回、毎年こちらの会場で、このように大きな催しが開催されていたそうです。

およそ2年ぶりの開催に、大勢のお客様を動員して、会場は大盛況でした。

疲れた帰宅途中で、ふと空を見上げると、そこには大きな虹がかかっていました。

みなさまは、虹が二重に発生している、ダブルレインボーを見たことがありますか。

ハワイには、「No Rain, No Rainbow」ということわざがあるそうです。

直訳すると「雨がふらなければ虹はできない」といった意味のことわざですね。

「困難を乗り越えた後には、必ず何か得られるものがありますよ」といった使い方をするそうです。
なんか「お疲れ様です」って、励まされたみたいで嬉しかったです。

夕飯は、ナポリタンにしました。
周知の通り、ナポリタンは、トマトケチャップを使って作るパスタです。でも、コンソメなどを入れないとコクと旨味がいまいちです。美味しいナポリタンにするためには、ちょっとしたコツがあります。

①中火で熱したフライパンに、ちょっと多めに油をひきます。
②玉ねぎのみじん切り、ニンニクを投入します。
③玉ねぎが飴色になるまで炒めていきます。
④③にケチャップと顆粒のコンソメを入れてよく炒めます。
⑤出来上がったケチャップソースを、別の容器に取り出します。
⑥油はひかずに、同じフライパンで野菜、ウインナーを炒めます。
⑦野菜に火が通ったら、先ほどのソースを入れ、塩、こしょうで味を調えます。

⑧茹で上がったパスタを加え、軽く混ぜ合わせます。

玉ねぎを使ったこちらのソースは、ケチャップの旨味と相まって、本物のトマトを使ったような深い味がします。

それから、茹で上がったパスタに少し油をかけると、パスタが冷めてもモチモチして美味しく食べられます。

私は、燃料費節約のため、ナポリタンを作るときには2人前作ります。後で副菜やお弁当にしたりします。

今日の余ったナポリタンは、お弁当にしました。とても美味しかったです。

それにしても、凄い世界があるもんですね。

今日の出来事は、まさに圧巻の光景でした。VIPの方は、値段なんて見ないです。気に入ったら担当の人と直接価格交渉してました。

お得意様なので、高額商品でも信じられないほど値引きして購入することができます。

こうやって、お金持ちのところには、ふつうの人には出回らない儲け話が舞い込んでくるのかな。

庶民にはあり得ません。

60代、70代のお客様は、みなさん、とてもオシャレで綺麗でした。本当に楽しそうにお買い物をされていて、まるで別世界です。

私は、夢を見ているみたいでした。

お金持ちと貧乏人。

働かなくても株や不動産など手持ちの資産だけで大金を手にできる富裕層がいます。一方で、非正規雇用で年金生活をする私です。

これから年金で生活する一人暮らしの私は、ポジティブに生きていくしかありませんね。

明日も仕事で、催しもの会場から搬出した婦人服や什器などを片づけます。

持病の腰痛が悪化しなければいいな。ちょっと暑いけれど、念のため、腰痛ベルトを付けよう。

健康が一番の節約です。

早く体を治して、元気に明るく暮らしていきたいと思います。

17 自炊は、節約プラスボケ防止になる

今日も、セミの鳴き声で目が覚めました。セミって早起きなんですね。暑い一日が始まります。

朝は、たまごサンドが食べたい。でも、ゆで卵って作るのが億劫《おっくう》だったりしますよね。そんな時には、レンジで時短たまごサンドを作ることができます。

卵のフィリングを電子レンジで作るので、ゆで卵を作る必要がなく時短になります。

材料は、卵　1個、マヨネーズ　大さじ1、塩こしょう　少々、バター　2切れ、食パン。

①器に卵を割り入れたら、卵の黄身を潰します。②軽くラップをしてレンジで温めます。卵の黄身は、破裂防止に潰すだけです。白身と混ぜないのがポイントです。

加熱時間は、レンジの機種で異なる場合があります。初めて作る時は短めの時間で様子

をみてください。
③卵が固まったら、フォークで崩します。マヨネーズと塩こしょうで味を調えたら出来上がりです。
スボラな私にピッタリの料理です。たまごサンドの基本は、卵1個に対してマヨネーズ、大さじ1です。ですが、私はマヨラーなので、たっぷりめです。

たまごサンド、裏切らない定番の味です。コクのある味わいで、とても美味しかったです。

好きなものを食べて暮らすっていいですね。

朝から大満足です。

今日は、ちょっと足を延ばして遠くまで散歩に行ってきます。

公園で、鳩が羽を広げて日光浴をしている姿を見かけました。近くに行っても怖がりません。人に慣れているんですね。

羽根を日光に当てて、体についた虫や細菌を追い払っているんだそうです。

みんなで仲良く日向ぼっこしてる。気持ちよさそうです。

ちなみに、鳩は神道において神の使者「神使《しんし》」であるといわれています。


散歩から帰宅したら、室内の気温は30度超えでした。急いで水分補給しなくちゃ。

こうじ甘酒で、英気を養います。

家のエアコンは、壊れてしまったままです。大家さんに掛け合いましたが、「わかりました」の一言でした。

そのままずっと音沙汰なしです。いつになるかわかりませんが、僅かな期待を胸に、良い返事を待っているところです。

ところで、みなさまは、自炊をしていますか。

一人暮らしの私は、自炊をしています。

自炊をする中で、配慮しているのが「健康」と「食費」です。

生活の厳しい年金生活者にとって、出費を抑えるものといったら、後は食費しかありません。

それにしても、食費を切り詰めるには限界があります。料理は色々と栄養バランスも考えなければなりませんよね。

しかも限られた予算内でとなると、これが良い脳トレになるそうです。要するに、自炊して食べる日常の食事は、ボケ防止や脳トレになる。

何だか長生きできそうな気がしてきました。

お金がなければ楽しくないという思い込みを排除して、できることから始めようと思います。

18 柚子こしょうパスタ

今日の朝ごはんは、柚子こしょうパスタにしました。

柚子こしょう（お好みで）と白だし（お好みで）を混ぜ、茹で上がったパスタと和えるだけです。仕上げに、お好みで青ネギや刻みのりなどを加えるとうまさ倍増します。

唐辛子のピリッとした辛みと柚子のかおりが美味しい柚子こしょうとパスタの相性は抜群です。

激旨なのに、1食たったの50円です。食欲減退になりがちな夏ごはんにピッタリのメニューですね。

ところで、我が家のエアコンは、壊れて動かない状態でした。

あれから、大家さんは、あちらこちら手を尽くし、最短納期で設置してくださいました。

やったー！　凄くいいやつです。嬉しい。

これで快適に暮らせます。親切な大家さんに感謝です。そして、猛暑の中、大汗かきながら工事をしてくれた電気屋さん、ありがとうございました。

エアコンの取り付け工事が長引いたので、ちょっと遅い昼ごはんになりました。

冷蔵庫にあった魚肉ソーセージと玉ねぎを使って、オムライスを作りました。

私は、小腹がすくとよく魚肉ソーセージを食べています。魚肉ソーセージは、そのまま食べても美味しいですよね。

不器用なので、オムライス型を使って、なんとか収まりました。息子が家にいた頃は、よくオムライスを作りました。

お腹が満たされた後は、ちょっと横になって休みました。ずっと寝不足だったので、涼しい部屋でぐっすり眠ってしまいました。

我ながらびっくりしました。

やはり、健《すこ》やかに生きていくためには、快適な睡眠は必須ですね。

19　コロナ感染しました

　8月24日から咳が出るようになりました。最初は、熱も痛みも酷くなかったのですが、事態は急変しました。

　激しい腹痛と下痢、高熱、倦怠感で動けなくなりました。冷却枕と冷却シートは、エアコンが壊れた時に、熱中症対策で購入したものです。買っておいて良かった。

　熱が出たので仕方なく、パートの仕事を休みました。応援要員なのに、役に立たずにごめんなさい。

　普段なら、よほどのことがない限り、私の方から連絡はしないのですが、不安に駆られて、息子に連絡してしまいました。

「体調不良で休んでる」

　私が事情を話すと、

「いやいやそれはまずいだろう。もしかしたら、コロナに感染したかもしれないよ」というのです。

「コロナに感染」

嫌な予感が脳裏をかすめました。

職場では、新規感染や自宅療養中の家族の介護で休む人が後を絶たず、人手不足になっています。事務職の社員が売場に立って、急場をしのいでいました。

コロナ新規感染者数が過去最高だと連日ニュースで報道されています。

でもどこかで「自分だけは大丈夫」と高を括《くく》っていたのです。

「ずっとうがい手洗いを徹底してきたのに、まさか、私がコロナに感染するなんて」

「直ぐに病院に行って、薬だけでももらわないと」

「そうだね」

「食べ物はある？」

いつものように、冷蔵庫は空っぽで、薬なんてありません。

でも心配かけたくない一心で、「大丈夫」そう答えてしまいました。

ちょうどスーパーに買い物に行く日でした。

でも、もしもコロナに感染していたら、スーパーはおろか外出すらできません。

「いざとなったらネットスーパーに注文するといい、家まで届けてくれるからね」

「わかった」

いいことを聞きました。流石《さすが》に若い人は、情報が早いです。

でも、他県に住む息子は、仕事が忙しくて、お盆休みもありません。会えなくて残念です。

一方で、私の容態は最悪でした。病院に行きたくても無理でした。

でも力を振り絞って動かねば。薬がないと生きていけません。

いつもの病院に電話したところ、「本日の発熱外来の予約は終了しました。お盆明けまで予約で一杯です」とのことでした。

びっくりしました。混んでるんだ。

仕方なく、ネットで調べてみたら、新型コロナ感染症に関する一般相談の窓口がありました。

すぐに、コールセンターに電話してみたら、発熱外来の病院を4件も紹介してもらえました。

そして、「病院には、あらかじめ電話で発熱外来の予約をしてください。現在、どの病院も大変込み合っておりますので、電話がかかりにくくなっています。万が一、予約が取れないときには、少し遠方になりますが、再度調べてご案内することができます。それから、コロナウイルス感染症の疑いがある方は、公共交通機関の使用ができません。あらかじめご了承ください」

「わかりました。ありがとうございます」

コールセンターの丁寧な対応に、感服しました。

続けて、紹介された病院に電話しましたが、つながりません。

ネットで調べてみたら、こちらの病院はスタッフ不足などの事情で、発熱外来の受付を制限していました。やはり、新型コロナ感染拡大で、医療現場は逼迫《ひっぱく》しているようです。

他に予約が取れそうな病院は、公共交通機関を使わなければ行けない、遠方の医療機関でした。

タクシーにも乗れない、どうしよう。車のない私には、正に「なすすべなし」でした。

一人暮らしなので、不安は募るばかりです。

その時はお盆休みの連休中でした。台風8号が日本列島を直撃するという、心配要素満載の日のことでした。

とりあえず、解熱剤を手に入れないことには始まりません。

藁《わら》にもすがる思いで、近所の薬局に電話で相談しました。ここは行きつけの薬局で、薬剤師さんとは、顔見知りでした。

すると、「店の前まで取りに来られますか」と、快諾《かいだく》していただきました。

そして、解熱剤と一緒に抗原簡易検査キットも予約しました。本当にコロナに感染したかどうか、一刻も早く確かめたかったのです。

二重マスクに除菌スプレーをふりかけて、近くの薬局に向かいました。

薬剤師さんは、マスクの上からクリアマスクをつけ、手にはゴム手袋、そして白衣を着用していました。念のため、薬の代金は、ジップロックに入れて、薬は店外で受け取る事になりました。

そして、薬剤師さんから、パンとジュースをいただきました。私の容態を心配して、わざわざ買ってきてくれたみたいです。

薬剤師さん曰く、大型台風の接近で、コンビニのパン棚は空っぽだったそうです。

貴重な食料までいただき、ありがとうございます。本当に助かりました。

市町村によっては、40歳以下を対象に、無料の検査キットを郵送してもらえるそうです。

感染拡大で医療現場が逼迫しているので、現場の負担を緩和するための緊急措置だそうです。

しかし、高齢者はリスクを伴うので対象外でした。

薬を飲む前に、何か胃に入れておこう。いただいたパンは、とても美味しかったです。食料品は底をついています。どうやって生き延びよう。

少しでも食料品などを買い置きしておくべきでした。非常用の食料品など、備蓄の必要性を改めて痛感しました。

そこで、ネットスーパーを初めて利用したのです。冷凍食品などで直ぐに食べられる食料品を注文しました。

これでやっと一安心です。

そう思ったのも束の間、メールが届いて愕然《がくぜん》としました。

当日の配送は午前中の予約で締め切られていました。私の注文分は翌日の配送になるそうです。ネットスーパーの配送現場もコロナ禍の影響で遅延していました。またしても、人手不足のようでした。

食料品がいつ届くかわからない。

とりあえず、家にあるもので急場をしのぐしかありません。

冷凍のごはんがあったので、たまご粥にして食べました。食欲のない時は、胃に優しいお粥がいいですね。美味しかったです。

一時は、40度近くまであった熱は、薬のおかげで下がってきました。良かった。

ところで、せっかく購入した簡易検査キットですが、咳が酷くてなかなか検査をする気になれません。

それに、やはり怖い。コロナだったらどうしよう。

このまま仕事を休み続けたら、今月の収入は激減します。

ショックです。

ここ数カ月、本当に病気と怪我の連続でした。医療費にかかる金額は半端ないです。

いくら節約をして食費を切り詰めても、出費はかさむばかりです。ため息がでます。

とにかく、一日も早く回復することが先決です。

しかたなく検査したところ、結果は、陽性。

コロナ感染でした。

20　続　コロナ感染しました

コロナウイルスに感染しました。

一人寂しく自宅療養中です。相変わらずの頭痛、発熱、下痢、倦怠感で食欲はありません。下痢が続いているので、ちょっとお腹が痛いです。

今のところ、味覚または嗅覚の消失はありません。熱は上がったり下がったり、解熱薬を飲むと少し体が楽になります。

かかりつけの病院の予約（発熱外来）は、お盆明けまで一杯でした。

新型コロナコールセンターから紹介された、複数の病院の電話（発熱外来）はつながらない。今まさに、コロナ感染拡大で、医療現場は逼迫しています。

簡易検査キットで陽性反応が出た時は、本当にびっくりしました。

覚悟を決めていた検査でしたが、半面、ガッカリしました。

これで仕事は当面休みです。パートの仕事は、非正規労働者なので、日給制です。

私の暮らしは一体どうなっちゃうんだろう。何だか先が思いやられます。

職場に休みの連絡をした時のことです。

マネージャーは、「こちらのことは心配しなくて大丈夫、ゆっくり休んでください」

と、優しい声をかけてくださいました。

でもパートの先輩は、既にコロナ感染で休んでいます。

そのため、本来連休中の事務職の社員が応援に駆けつけて急場をしのいでいます。

私もお盆休みの応援要員だったのに、売り場の人手不足に拍車をかけてしまいました。

お役に立てず申し訳ございません。

一応、体調不良でお休みしましたが、新型コロナに感染したとなると話はまた違ってきます。どうしよう。病院に何度電話してもつながらない。

しかし、再度挑戦したら、いきなり年配の先生（？）が応対してくださいました。ラッキー。

早速、「簡易検査キットで陽性反応が出たのですが、発熱外来の予約は取れますか」と、こちらの事情を説明しました。

すると、思いがけない返事が返ってきました。

「簡易検査キットで陽性反応が出ている患者さんは、対面診療ができません。体力的に通院は無理だろうし、無闇に歩かれても感染拡大につながるので外出できません。

かかりつけの医師に電話で相談するか、オンライン診療を実施している医療機関で指示を受けた方がいいですよ」

そして、先生は、私の様子を案じて「何かあったら、躊躇しないで救急車を要請してくださいね。お大事に」そう付け加えて、電話を終えました。

かかりつけの病院は、お盆明けまで、予約で一杯です。医療現場は逼迫しています。

またしても、どうしよう。

ネットで調べてみたら、「オンライン診療」のある病院は、かかりつけの患者さんが対象だったり、お盆休みで休診、または、一時停止でした。後は、県外でした。

次に、最近話題の「ファストドクター」を発見しました。

診療内容には、「往診」と「オンライン診療」があります。

ただし、「往診」は、「第7波による自治体支援のため、一時停止中」でした。「オンライン診療」は、「第7波による自治体支援による混雑のため現在受付を一時停止しております」でした。

もう**「なすすべなし」**です。

このような時、みなさまならどうしますか。

そこで私が考えたことは、
①簡易検査キットで陽性が確定している。
②家には解熱剤（ロキソニン錠）がある。
結論は……、休もう。

正直、判断力が低下していて、決断できませんでした。パソコン検索も疲れた。

それよりも、体がしんどくて横になっていたい。ジタバタしても始まらない。

今はゆっくり療養して、お盆が明けたら、もう一度かかりつけの病院に電話しよう。

そう決心したら、気が楽になりました。

昨日、ネットスーパーで注文した食品が、やっと今日配達されました。

お盆休みを直撃した台風8号は、関東を直撃、各地で強風・大雨による被害が多発したようです。

一部のネットスーパーでは、お盆休みによる繁忙期と台風による備蓄需要が拡大して、生鮮食品等、一部の商品の納入が間に合わない事態が発生していました。

コロナ感染拡大による人手不足と相まって、前日に注文された商品の配送が今日になったそうです。

嵐の中、わざわざありがとうございました。冷蔵庫に何もなかったのです。

おかげで命拾いしました。

とりあえず、納豆と卵があれば生きていけます。

楽しいはずだったお盆休み。コロナ感染と台風で、踏んだり蹴ったりでした。

お墓参りに行ったり、息子に会ったりしたかったな。

早く元気にならなくちゃ。

21 仕事から帰ったナイトルーティン

コロナウイルス感染から、1週間が経過しました。

大変ご心配をおかけして申し訳ございません。おかげさまで復活しました。

元気になった今日の晩ごはんは、冷蔵庫で自然解凍した若鶏スペアリブ（手羽中）の照り焼きです。

若鶏スペアリブは、半額になったお買い得品です。

ラッキー。

こんな小さな出来事でも一人暮らしの私には、本日のビッグニュースになります。

単純ですね。

付け合わせにきゅうりを添えて、スペアリブには白ごまで、彩りよくなりました。

食配でいただいた赤だし味噌汁を、食べました。こんなに簡単で便利な食材が豊富にあるなんて、知らなかった。日本って凄いですね。

食事のたびに発生する食器洗いをストレスに感じている方も多いと思います。

私の場合は、面倒な食器洗いは、食べ終わったら直ぐに片づけます。一人暮らしなので、洗い物は少ないです。なので、洗い桶《おけ》はほとんど使わなくなりました。

今日は、久しぶりにお弁当用のタッパーを洗いました。

長男がいる時は、洗い桶を使ってため洗いをしていました。

洗い物が多かったり、すぐに洗えない場合は、洗い桶の中につけ置きをすることで、食器洗いの時間短縮や洗剤の節約になります。

食洗器があったら便利だけど、置き場所もありません。一人暮らしの私には、ちょっと贅沢かなって思います。食器洗いが多い時は、洗い桶を使い、少ない時は使わない。臨機応変な対応で、節水を心がけています。

そして、洗ったらすぐに食器棚に片づけを徹底しています。

衛生面を考慮して、食器を拭くのに、洗濯したきれいな状態のタオルを使用しています。理由は、布巾は使わず、なるべくサッと拭いてから片づけたいからです。

今日は、職場復帰を果たしました。

「少し痩せたんじゃない」

マネージャーに声をかけられて、ハッとしました。

「そういえば今日は、体が軽く感じる」

「それだけ大変だったんだろうね。でも、そのぶん、これからは楽になるから」

確かにその通りでした。

私が休んでいる間に、婦人服売り場では、秋冬物の入れ替え作業が進められていました。

商品を全部出して、棚の位置を変えて……。

「大丈夫？　一人でできる？」

「はい。何とかやってみます」

私も最初は緊張していましたが、慣れてくるにつれ、テキパキと動けるようになりました。

「いいよ、いいよ。だいぶ戻ってきたみたいだね」

「はい。ご迷惑をおかけして申し訳ありませんでした」

私は頭を下げて謝りました。

しかし、マネージャーの反応は意外なものでした。

「何言ってるんだよ。そんなこと気にするなよ」

「えっ……」

「今まで、ずっと頑張ってきたじゃないか。だから、これくらいのことなんてことはないさ。むしろ、もっと頼ってくれたっていいくらいだよ」

「……」

「僕は君を信じているから。これまでと同じように、一緒に頑張っていけると思っているから」

「……はい！」

私は思わず涙がこぼれそうになりました。

でも、必死に堪えました。

ここで泣いてしまったら、またみんなに心配をかけてしまうと思ったからです。

何の資格もない私を雇ってくれて、こんなに温かい言葉をかけていただきました。もう感謝しかありません。

みなさんいい人ばかりで、良い職場に恵まれて本当に私は幸せものです。

お風呂に入って、歯磨きして、寝ようかなと思ったけど、もうちょっと頑張ります。

明日は休みなので、夜ふかししても大丈夫です。

ところで、最近、思うことがあります。

節約生活を始めて、その様子を動画に挙げて、最初はとても恥ずかしかったです。

でも、私は「節約は恥ずかしいことじゃない」と思います。

給料はとんと増えず、使えるお金は限られています。年金だけじゃ食べていけなくて、給料が増えない世の中で、将来不安です。

暮らしを豊かにするために、世の中の節約意識も高まっています。

でも、高かろうが安かろうが、不要なものは買わない。

趣味や娯楽など、暮らしを豊かにするために、無駄を省く節約っていうのかな。そういう節約意識って、今の主流になっているのかなって思います。

それでは、私が節約生活をするにあたって、心がけていることを発表したいと思います。

①1日3食自炊をする。
②白髪染めは使わない。
③給湯器の電源はオフモードにする。
④ウォーキングや運動をする。

私が節約で心がけていることは、
①1日3食自炊をする。
スーパーで買い物をして自炊生活をしています。冷凍食品やインスタント食品なども食べます。ストレス解消に、時々お菓子も食べます。
②白髪染めは使わない。
元々髪の毛が細く、アレルギー体質なので、髪を染めたことはありません。シャンプーリンスは、着色料・香料・防腐剤・品質安定剤・アルコール、無添加の「さらさらタイプ」を使用しています。

最近は、髪の生え際に白髪が目立ってきましたが、自然体でいいかなって思っています。時々、帽子をかぶったり、ヘアバンドなどで、（実は）隠したりしています。

③給湯器の電源はオフモードにする。
以前はずっと電源オンモードで「つけっぱなし」でした。電気代の節約のため、「都度消し」にしています。特に夏場は、お湯を使わないので、シャワーを浴びる時以外はオフモードです。

ガス給湯器の電源をつけっぱなしにしても都度消しにしても、電気代は年間456円程度しか変わらないそうです。

だけど、少しでも無駄な電気は使わない節電の意識が重要なのかなって思います。
④ウォーキングや運動をする。
健康が何よりの節約ですが、このところ、病気や怪我の連発です。以前は、毎朝ラジオ体操をしていましたが、続きませんでした。

趣味が散歩になったので、運動を兼ねた意味で、歩き方を変えました。

運動不足解消のため、YouTubeでズボラストレッチを始めました。腰痛を改善する体操やズボラストレッチは、楽しくて超楽ちんです。寝たままストレッチは、寝る前に続けています。

3日坊主にならないといいな。

みなさんはどんな節約をしていますか。

22 お弁当作り――カレー味の二色そぼろ丼

パートの仕事に行かねばならない。

今日のシフトは遅番です。パートの仕事はシフト制なのですが、遅番になると、帰宅は夜9時過ぎになります。

さて、お弁当作って朝ごはん食べなくちゃ。今日のお弁当は、カレー味の二色そぼろ丼です。

一般的に、二色そぼろ丼は、鶏ひき肉を使用して、甘辛い味付けにします。でも、我が家では、豚ひき肉と卵を使用してカレー味にアレンジしたものをよく作って食べています。甘めの炒り卵とトロミがついたカレー味のそぼろ丼です。

そぼろはペースト状なのでとても食べやすいです。忙しい朝でも簡単に作れます。うちの子どもたちの定番のお弁当メニューでした。

豚ひき肉のそぼろは、市販のカレールウを使うと片栗粉を使用しなくてもトロミがつきます。カレー粉を使用する場合は、仕上げに少量の水溶き片栗粉を回し入れてください。

そぼろは、酒、みりん、しょうゆ、水を加えて味を調節してください。

ちなみに、焦げやすいので、火加減は終始中火です。

市販のカレールウを使うことで、簡単に風味豊かなキーマカレー風二色丼が出来上がります。

冷めても美味しいお弁当です。よろしかったらお試しください。


やっと、朝ごはんです。お腹が空いた。

遅番の場合、ランチタイムは、2時過ぎになります。接客が忙しくなると何時に食べられるかわかりません。

なので、しっかり食べていきます。

パートの仕事は、主に婦人服の販売です。でも、応援要員なので、何でもやります。

先日、入荷した秋冬物をストックヤードに追加しました。段ボール箱が6箱もあって、それはもうクタクタになりました。

表向きはとてもきれいな仕事ですが、裏に回れば埃《ほこり》っぽくて重労働です。しっかり食事を取らないとやっていけません。

また腰痛が再発しないように、気をつけながら仕事をこなしています。

23　暇な土曜はいつもこんな過ごし方

パートの仕事で夜遅くまで働いた明けの土曜日です。

目覚ましタイマーをかけてなかったので、ぐっすり眠れました。

今日の朝ごはんは、いつものコーヒーにハム&チーズトーストです。

手ごろな価格で簡単に作れるので、私の朝の定番メニューです。何度食べても裏切らない美味しさです。


天気が良いので、ウォーキングを兼ねて、いつものお散歩コースに行ってきます。

効果的なウォーキングのコツとやらを参考にしながら歩くのですが、なかなかうまくいきません。少し遠くを見ながら、背筋を伸ばし、お腹を引っ込めて歩くと、息が続きません。

体がなまってる証拠ですね。

それでも、深呼吸すると、大地からエネルギーをもらえるような気がします。

「やらないよりはまし」なので、歩くしかない。

24 「変わり者」と言われても自分らしく人生を過ごす

自分が、周囲からはなんて思われてるか、わかりません。

実は、学生生活や社会の同調圧力の中で、私はいつもはみ出し者で、いじめられっ子でした。

そんな私は、変わり者だっていう認識はあって、あまり一喜一憂《いっきいちゆう》することはありません。それは、周りと自分が違う人間だということをちゃんと理解しているからです。

そのため、周りの意見に流されることなく、自分軸で判断したり、行動したりできるかと思っています。

単独で行動すると、変わり者扱いされることが多かったです。

仕事がうまく回っていた頃には、お小遣いを使える余裕があったので、映画館、美術館、旅行、買い物などによく一人で行きました。

思い立ったら吉日で、食べたいものを食べに行ったり、行動は早かったです。今はこんな状態なので、色々なことを控えているだけです。

最近になって、こんな私だから、変わり者だからYouTubeなど、とんでもないことを始められたのかなって思ってます。

誰に聞いても、「いくらYouTubeが大好きだからって、60過ぎのおばさんが、無謀な挑戦はするな」って反対されそうだったので、人にはあまり相談しないで始めました。

何事もやってみなけりゃわからないから、と直ぐに行動に移せることは、変わり者の私の利点じゃないかなって思います。

25 老けこまないために、食生活から気をつける

9月も残り僅かとなった今日は、ちょっと肌寒い。

こんな日は、何か温かい物が欲しくなります。

常備食用に買っておいた蕎麦《そば》がありました。お蕎麦だけだと少し物足りないので、冷蔵庫にあったナスと豚バラを使って、温かいナスと豚肉のつけ蕎麦を作りました。つゆは温かいままでも、夏には少し冷やしても美味しいです。

今日は、温かいつけ汁の具と一緒に蕎麦をいただきます。

食品の中で「そば」だけに含まれる特有の栄養成分が「ルチン」です。ルチンは脳梗塞や心臓病などの血栓が原因となる病気の予防に効果的です。

他にも、アルツハイマー型認知症予防や糖尿病などの生活習慣病予防、ビタミンCの吸収を良くすることから、美肌にも効果があるといわれています。

私にピッタリの食材です。

午後は、YouTubeを見たり、パソコンの作業をして過ごしました。

夜ごはんは、甘辛でふわふわの豆腐入り鶏つくねです。ごはんは、梅干しを一つ加えた梅干しの炊き込みごはん。副菜に、ナスと小松菜の味噌炒めを作りました。

ごま油でじっくり炒めたナスは甘みが増し、味噌との相性が抜群です。

鶏つくねは、余った長ねぎのみじん切りに鶏ひき肉を使って作ります。宮崎産鶏ひき肉は、お買い得品で1パック139円でした。

でも少量パックなので、ちょっと足りません。お豆腐を加えてかさ増しします。

水切りしない豆腐でボリュームアップします。

冷めてもふんわり柔らかい、鶏つくねができました。

明日はパートの仕事です。お弁当のことを考えて、ちょっと多めに作りました。

朝は忙しくて、お弁当を作るのに時間がかかります。

お弁当の中身を作り置きにすると、朝のお弁当作りが時短になり助かります。

少しだけ残しておいた豆腐を使って、簡単なスープを作りました。味付けは、だし塩のみです。


ごはんが炊きあがりました。

梅干しを加えるだけですが、さっぱりとした酸味の効いた梅干しの炊き込みごはんになります。これは我が家では、代々引き継がれているおふくろの味です。

戦時中、物のない時代に祖母は、ごはんがいたまないように梅干しと一緒にごはんを炊いていたそうです。

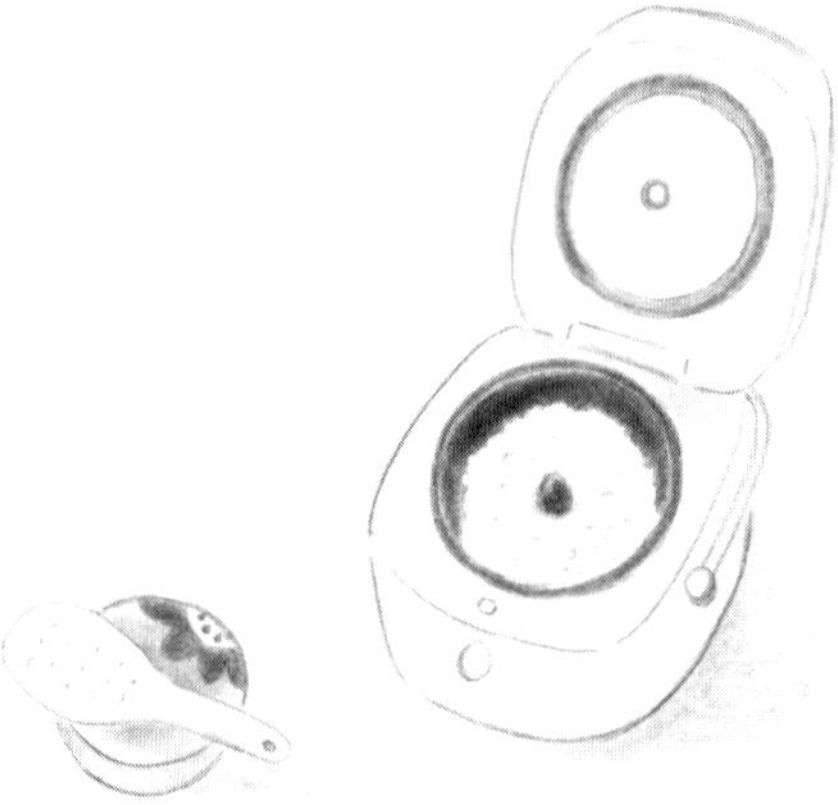

梅干しは、防腐作用により食中毒菌を抑制し、食あたりを予防する効果があるそうです。

古くからのことわざに、「梅はその日の難逃れ」があります。「梅干しを食べれば、その日は災難に遭《あ》わずにすむ」というわけです。祖母の炊き込みごはんは、「災難に遭わずにすむ」というおまじない的なニュアンスもあったと思います。

私は、梅干しの炊き込みごはんが食卓に上る度に、質素倹約を兼ねた料理だと母から聞かされた思い出があります。

シンプルでいくら食べても飽きない味です。

健康とゲン担《かつ》ぎを極めた梅干しごはんは、

素晴らしいおばあちゃんの知恵袋ですね。

みなさまには、老け込まないための秘訣ってありますか。

私はずぼらなもので、秘訣なんてありません。アレルギー体質なので髪は染めないし、パートの仕事中は制服なので、おしゃれには無縁です。

でも、服は毎日洗濯して、清潔感を保つように心がけています。別に若く見られなくても、老けて見られなければいい。グレーヘアでも、笑顔が素敵なおばあさんになりたいです。

ポジティブ思考で、毎日楽しく暮らせたらいいなぁと思います。

ストレスを溜めないために、部屋は少しずつ片づけ、朝の拭き掃除は欠かしません。

そして、料理は簡単なものしか作れません。

こんな私ですが、老け込まないために食生活から気をつけています。老ける最大の要因は、「酸化」と「糖化」だそうです。

長年の研究によって、体が錆つく2つの進行を防ぐ食材が数多くあることがわかってきました。

それは鶏肉や鮭など意外に身近なものばかりです。豆腐は低カロリーで高たんぱく、その上カルシウムやイソフラボンなど沢山の健康に良い栄養素を含む食品です。

味噌や納豆、チーズ、ヨーグルトなどの発酵食品は、積極的に食べることで腸から元気になることが知られていますね。

新鮮野菜を多く摂取することで、アンチエイジング、がん予防、生活習慣病予防に効果があるそうです。

野菜は沢山取りたいけれど、最近は野菜が高くなりましたね。

みなさまは、どのようにして野菜を沢山食べていますか。

ところで今日、全国の100歳以上の高齢者が初めて9万人を超えたとテレビのニュースで知りました。

日本人の平均寿命は年々延びている一方で、健康寿命との乖離《かいり》が指摘されています。

調べてみたら、「元気な100歳100人に聞いた長寿の秘訣」【キューサイ調べ】（2019年）なるものがヒットしました。とても興味深い内容だったので、ご紹介したいと思います。

元気な100歳100人に聞いた長寿の秘訣「調査結果まとめ」によれば、3日間の食事900食のうち、約9割の食事で卵・豆腐などの「たんぱく質」をしっかりと摂取していたそうです。

そして、「誰かと一緒に食事を取っている人」は、8割超で、「自分の歯が残っている人」は約3人に1人。前歯でお肉をかみ切れる人は約6割でした。

それから、元気な100歳長寿の秘訣に「食」を挙げた人は5割以上だったそうです。「食」の長寿の秘訣は、「腹八分目」「好き嫌いなく何でも食べる」「3食をきちんと食べる」などでした。

中には、「好きなものを食べることが秘訣」という面白い回答もあったそうです。

さらに、元気な100歳は、世間の出来事に関心があり、若い人との会話を楽しんでいるそうです。

当たり前のことですが、老け込まないために心身ともに元気でいることですね。

長寿の秘訣は、一日3食をきちんと食べるふつうの暮らしでした。

やはり、「食」って大事ですね。

60歳、70歳だからといって、老け込んではいられません。

私たち、まだまだこれからですね。

26 頑張らない夕飯――余り物で一人鍋

毎度のことながら、仕事で疲れて帰ってきてから夕飯を作るのは大変ですよね。

一度座ったら最後、もう動けなくなります。

作り置きはお弁当にして全部食べちゃったし、お弁当でも買って来ればよかったかな……危ない危ない。

腹ぺこでスーパーへ買い物に行ったら、あれもこれも欲しくなってしまいますよね。節約生活に危機が到来してしまいます。たまには、よその人が作った美味しいお弁当を食べたいけど、ひたすらここは我慢します。

だって、冷蔵庫に少しずつ残り物があるんです。

「残り物には福がある」。何か美味しいものができるはずです。

そういえば、涼しくなってきましたね。ちょっと早いけど一人鍋にしよう。

食器棚の奥に一人用の鍋がありました。

寒くなると、よく小さな土鍋を使って一人鍋をしたり、鍋焼きうどんを作ったりします。

陶器の比熱は鉄の約2倍あるそうです。土鍋は一度温めると冷めにくいので、光熱費の節約になります。

ということで、今から夜ごはんの準備をします。

大根の皮をむいたら、大根おろしにします。これがまた重労働で、体力を使いますね。頑張りたくないけど、美味しいごはんが食べたいので、ここは頑張らねば。

大根おろしは汁ごと使います。

そこにそばつゆと水を適量くわえて、お好きな具材を入れるだけです。長ねぎが少しありました。冷凍庫で凍ったしいたけと油揚げを緊急参加させます。

冷蔵庫の余った豆腐と豚肉が足りないので餃子も追加します。育ち盛りの豆苗を加えたら、豚バラときのこのみぞれ鍋の完成です。

いい感じに一人鍋ができました。

だしがきいてる残った汁も無駄にしません。冷凍庫にあったごはんをおじやにして食べました。

そういえば今日、パートの仕事でちょっとした事件がありました。

私が接客したお客様は、とても上品な高齢のご婦人でした。一見元気そうに見えたのですが、直ぐに息切れしてしまいます。

そこで、直ぐに店のソファーへご案内しました。

私は、お客様の容態が心配で、「お連れさまはいらっしゃいますか」と尋ねました。

すると、「一人暮らしなので」とのこと。

詳しく話を聞くと、長男の嫁と折り合いが悪く、お孫さんとは何十年も会っていないそうです。近頃は、杖なしでの歩行が困難になったそうです。

そして、長年の持病が悪化し、いつ何があってもおかしくない状態だというのです。

私は、ビックリして言葉を失いました。

「病院へ行かなくても大丈夫ですか」私がそう尋ねると、

「病気になっても最後は自宅で過ごしたいから」と言われました。

そして、沢山お話をした後に、沢山お買い上げいただきました。

私にとって、初めての高売上です。

ですが、素直に喜べない。

「とてもよくお似合いです」

素敵な花柄のワンピースは、本当によくお似合いでした。

歳を重ねると派手な装《よそお》いに少しためらいがあります。しかし、お客様は、毎日ワンピースを着ているそうです。

「いつ家族が来てもいいように、オシャレして待ってるのよ」

お客様は、疎遠になった長男家族が訪ねてくるのを待っておられました。とても裕福そうなご家庭なのに、一体何があったのでしょう。

「楽しみですね」

私の思いとは裏腹の返事をするしかありませんでした。

「買い物はこれで最後、もう歩けない」

その言葉にハッとしました。

私が最後のお買い物の接客をするとは、夢にも思いませんでした。

そして、深い思いにとらわれました。

お客様が買う洋服は、これが最後になるはずだからです。

若い時は、洋服などの買い物は当たり前です。次の店はどこにするか、色はどうするか、ワクワクして選びました。しかし、人生最後だとなると気が沈みます。

私は、生活が厳しくてオシャレには縁がなかったけれど、洋服を買おうと思えば買うことはできます。

一人暮らしは気軽で良いと思いますが、高齢者になると問題も発生します。

お金に余裕がありそうなのに、お客様の後ろ姿はとても寂しそうに感じました。

そんな仕事を終えて、私の足腰はボロボロでした。一日中立ちっぱなしで、足もむくんでいます。

ところで、みなさま、幸せってなんでしょう。

私の暮らしは大変だけど、沢山の人に助けられて暮らしています。

このように思えるのも、みなさまのおかげです。とても感謝しています。

27 スーパーの値引き品で作り置き5品

散歩を兼ねてスーパーへ行ってきます。

みなさんは、スーパーで何を買いますか？　私は一人暮らしなので、沢山買い物ができません。でもスーパーへ行くと必ず買うものがあります。

もうおわかりですか……値引き品です。

スーパーの生鮮食品売り場では、必ずといっていいほど値引きシールが貼られています。

少しでも食費の節約を考えて、いつも利用しています。

閉店時には、惣菜や鮮魚などの消費期限が短いものが多いですよね。しかし、オープン時も意外と値引きシールが貼られていることがあります。

例えば、納豆や練り物、豆腐、野菜、パンなど、多少消費期限が長めの商品に貼られることが多いようです。朝ごはんを食べてスーパーへ買い物に行ったら、値引き品のオンパレードで、びっくりしました。

今は10月ですが、このところ大雨続き、台風の影響で安くなったのかな。

普段は買いだめはせずに、食べきれる分だけしか野菜は買わないのですが、野菜不足解消になります。それに我が家の冷蔵庫は空っぽでした。

こんなチャンスは、なかなかない。せっかくの機会なので、色々買って、作り置きおかずにすることにしました。

野菜はどれも50円、かぼちゃとオクラは29円でした。豚バラ肉とじゃこを含めた値引き品の合計は、税込み581円でした。

2日間食べ続けても一人前96円、なんと100円以下です。それにしても、主食と副菜を合わせて、食費一日300円でした。

これはもう、本日のトップニュースです。

我に返って、燃料費節約のため、作り置き5品を早速作っていきましょう。

野菜は鮮度が命です。とは言っても、捨ててしまうには余りにももったいない。

トマトの、傷んだ部分は切り落として使います。

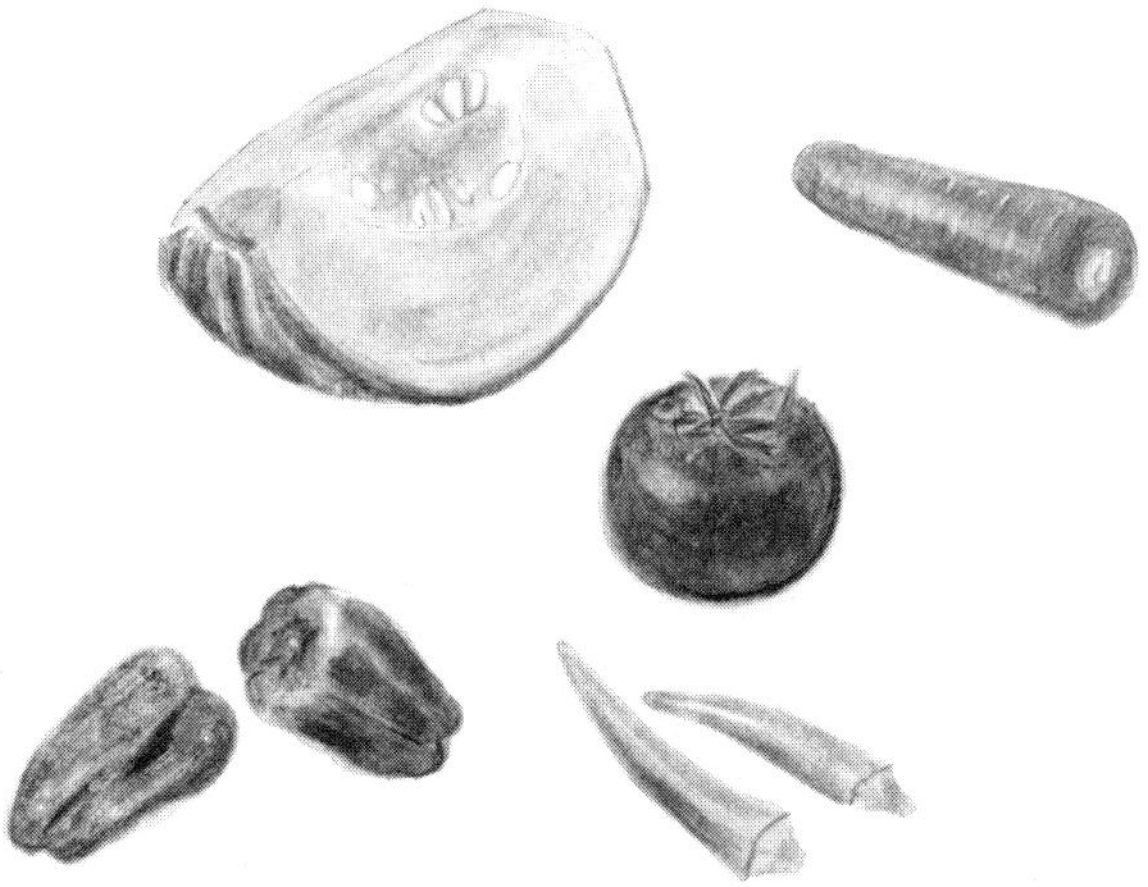

余った玉ねぎのみじん切りを加えて、トマトのマリネサラダにしました。

美味しそう。トマトのマリネサラダは、冷蔵保存で5日間日持ちがするので、沢山作っても大丈夫です。

沢山食べて、血液サラサラにしたいです。体の内側から元気になったらいいな。

カットされたかぼちゃは傷みが早いです。早く食べなきゃ。

かぼちゃのバターソテーを作りました。料理はシンプルイズベストです。

弱火でゆっくり焼いて、バターを多めに使いました。

素材の味を最大限引き出したかぼちゃのバターソテー。日持ちは、冷蔵保存で3日間くらいです。

それから、ピーマンとじゃこのしょうゆ炒めです。ピーマンの大量消費にもってこいの献立ですね。

ピーマンは細切りにして炒めると、量は半減します。

なので全投入します。

やわらかい〝釜揚げしらす〟は半額シールが張られていました。ピーマンに合わせるじゃこは、少し乾燥した〝ちりめんじゃこ〟の方が良かったな。

仕方ない。

日持ちは、2~3日ですかね。美味しいから、まっいいか。

続いて、沖縄家庭料理！　にんじんシリシリを作ります。

「シリシリ」とは、「すりおろす動作」、すりおろす時の音の「すりすり」を表す沖縄県の方言だそうです。

すりおろしにいい台所用品がなかったので、手動で千切りにします。これはもう、裏切らない定番メニューです。

冷蔵庫に卵があったので、栄養を増強します。にんじんシリシリは、美味しいので直ぐに無くなりそうです。

それから、オクラの肉巻きを作ってみました。

立派なオクラと豚バラ肉は、スーパーで値引き販売されていたものです。オクラは、雨に濡れたせいで少し傷んでいるものもありました。

問題ありません。

美味しいものなら形は問いません。口に入れば同じです。廃棄処分になるよりは、美味しく食べた方がいいに決まっています。

豚バラ肉に塩こしょうをかけ、オクラをくるくる巻いたら、後は、フライパンで焼くだけです。

夜ごはんは、作り置きの食べ放題です。これだけあれば、しばらく楽しめます。

今日のおかずは、酒のつまみにもなります。

どれも安くて簡単で、美味しいものばかりです。

料理に消費期限があるように、人の命には限りがあります。80歳くらいまで生きるとして、人生はたった４０００週間だそうです。

限りある時間の使い方は人それぞれです。

私は、やりたいことをやって、好きなものをお腹一杯食べられる今の暮らしに満足しています。

私なりに、与えられた人生に感謝しながら、精神的に豊かに過ごしていければいいなと思います。

28 物価高で物が買えない

朝ごはんは炊き立てごはんに味噌汁です。

冷蔵庫に余った玉ねぎがあったので、味噌汁の具にしました。少しでも野菜を食べたいのです。

値上げ前に買ってあった鯖缶を、缶詰の汁ごと投入します。少しでも、DHAとEPAの補給ができるといいな。

鯖缶は、国産の缶詰です。少し高かったけど思い切って購入しました。理由は、以前スーパーの安売りで買った鯖缶で大失敗したからです。臭みが酷くて食べられませんでした。

「安物買いの銭失い」のことわざにもあるように、結局、無駄にしてしまいました。残さずに食べられる味と、安心安全なものを意識して購入するようになりました。

スーパーへ買い物にいくと、必ず鮮魚コーナーに立ち寄ります。

先日も、秋のサンマが食べたいなぁと思ったのですが、余りに値段が高くてビックリしました。

とてもじゃないけど、買えません。庶民の魚も手が届かないくらい高くなりましたね。

一人暮らしを始めてから、手頃価格のちくわ、かにかま、魚肉ソーセージをよく買って食べていました。

しかし、知らないうちに、すり身や冷凍食品の値上げで、2~3割も高くなりました。

これから何を買えばいいのかな。

さてと夜ごはんは何にしよう。

冷蔵庫にキャベツがあるので使わねば。夜ごはんは、キャベツと卵だけでパパッと作れるキャベツ焼きを作りました。

キャベツの大量消費にもってこいのメニューです。小麦粉を使わないので、手間がかかりません。簡単すぎる料理なのに、キャベツの旨味と卵のしっとりとした食感があとを引く逸品です。

キャベツに熱を加える料理にすると、甘くて美味しくなるのはなぜでしょう。不思議ですね。ケチャップをかけて食べると、オムレツのような味がします。そして、おたふくソースをかけると、お好み焼き風に大変身します。

これがまたうまい。

キャベツ焼きは、上にかけるソースで味を変えることができるので、最後まで飽きずに楽しむことができます。

小さなキャベツは一玉60円、特売品の卵は1パック130円でした。

1食分28円の激安メニューです。安くてうまい。そして、お腹一杯になりました。幸せです。

ところで、10月の値上げラッシュが家計を直撃しています。原材料価格や物流費の高騰をうけ、食品、サービスなど幅広い分野で値上げの動きが広がっています。

みなさまの生活にはどのような影響が出ていますか。

何やらじわじわと値上がりしていると感じたのは、今年の初め頃でした。それが、相次ぐ値上げラッシュで、生活のすべてのものが値上がりしています。

身近なところでは、野菜が高くなったので、野菜サラダをあまり作らなくなりました。野菜サラダを作るのに、トマトやレタスなど、5種類もの野菜を買わなくてはなりません。一人暮らしなので割高になってしまいます。

野菜を一つずつ使い切ってから買い物に行きます。

以前は、野菜を沢山使った具沢山のけんちん汁も、今では贅沢なスープになってしまいました。知らないうちに味噌まで値上がりしていて、とてもショックです。

栄養満点でよく作るトン汁も作れない。

そして、11月から牛乳が値上げされます。買い置きができないので、困りますね。

近くのスーパーへ買いに行ったら、380円だったいつものトイレットペーパーが、500円くらいになっていて驚きました。

色々探し回った末に、大手スーパーのハウスブランド商品に乗り換えました。ティッシユペーパーは、外箱なしの格安商品、ソフトパックティッシュを購入しています。

生活必需品である紙製品は、値上げされても買わざるを得ません。紙の2次値上げの影響で、トイレットペーパーの値上げは、既に10～15％以上も価格が上昇しています。

原油の高騰がかなりメーカーの収益を圧迫しているので、3次値上げに踏み切る可能性がありそうです。

先行き不安ですね。


それから、家の冷蔵庫は20年物の大型冷蔵庫です。

製氷機は壊れているので、100均の製氷皿で賄《まかな》っています。野菜室の仕切りやプラスチックカバーは破損して、中はもうボロボロです。

また、我が家のオーブンレンジは、30年以上も前に購入した年季の入ったものです。大事に使っているので、良く持っているなって思います。

いずれにしても、いつ壊れてしまうかと、ハラハラドキドキしながら使用しています。

省エネタイプのコンパクトな冷蔵庫やシンプルな電子レンジが欲しいのですが、高額商品なので買えません。そのうえ、値上げされたら、お手上げですね。

年金が下がっているから不安は募るばかりです。

年金だけでは食べていけない。

日々の生活の足しに始めたパートの仕事は、月に10日ほどの応援要員です。

体が元気になるまでは、フルタイムは無理かな。

欲しいもの、必要な物が買えない……ため息が出ます。

誰もが「値段が高すぎる」と悲鳴を上げ、「安くしてほしい」と切望しています。

それでも、世界のニュースを見てみると、日本は円安で物価が安いそうです。そもそも給料が安いので、やりくりが大変ですよね。

先の見えない物価高に負けないで、節約をしながらできることを模索中です。

私は、日々の散歩が楽しみになりました。

何より、健康こそ最大の節約になります。健康に留意して、楽しく過ごしていけたらいいですね。

29 母の誕生日に五目ちらし寿司

10月1日は母の誕生日です。

存命ならば、とうに90歳を過ぎています。

戦中戦後を生き延びて物の無い時代に、苦労を重ねた母のご馳走は五目ちらし寿司でした。

みなさんには思い出の料理ってありますか？

家族に祝い事があると、必ず食卓に並ぶ五目ちらし寿司は、60歳を過ぎた私にとっても、生涯忘れられないおふくろの味です。

母にとっては贅沢品の五目ちらし寿司、手と手を合わせて「いただきます」が、いつもよりもずっと長かった記憶があります。

思い出の記念日に、大好きな母がよく作ってくれた、我が家の五目ちらし寿司を作りた

いと思います。

五目ちらし寿司の具は、鶏肉、人参、ごぼう、椎茸、かんぴょうです。筍《たけのこ》の季節には、筍が入った具沢山のちらし寿司になります。

本当は、前の晩に煮たものを一晩寝かせると、味がしみて一層美味しくなります。

ごぼうはささがきにして、水にさらしておきます。

鶏のモモ肉は、ちょっと大きかったので、半分使って、残りは冷凍しました。

干し椎茸が無かったので、冷凍椎茸で代用しました。干し椎茸は高くてなかなか買えない。どこかで特売やってないかな。

冷凍保存しておいたかんぴょうを細かく切ります。冷凍したかんぴょうは、包丁でサクサク切れるので、とても使いやすいです。冷凍庫にあった油揚げ、いい味が出るので追加しました。あとは炒めてから、じっくり煮込むだけです。

卵は贅沢に2個使っちゃいます。我が家は、ちょっと甘めの錦糸卵です。

刻みのりは買わないので、おにぎり海苔を刻めばいい。

錦糸卵と海苔を多くするのがご馳走ちらし寿司の醍醐味《だいごみ》です。

うちの寿司飯台《はんだい》は、卓上で手巻き寿司を楽しんだり、ちらし寿司、混ぜごはん作りに大活躍している2代目です。家族がいれば、賑《にぎ》やかに食卓を囲んでいたことでしょう。

寿司めしは、傷みやすいので酢を多めに入れました。ごはんは二合炊いて、全部五目ちらし寿司になりました。

ちょっと作りすぎたかな。

大丈夫です。久しぶりのご馳走なので、残さず沢山食べさせていただきます。

私は、仕事以外一人でいることが多いので、話をする機会もありません。

必要な買い物に行っても買い忘れたり、名前が出てこなかったりします。そのため、足りないものは買い物リストに書き出して、メモを取るようになりました。これなら無駄なく買い物に専念することができます。

でも私の物忘れ、これって、歳のせいかと思ったら、全くの勘違い、認知症かもしれません。

やばいです。今からボケたら先が思いやられます。

ボケ防止の対策が必要ですね。

「認知症予防」で調べてみたら、共通する対策がありました。

「認知症予防に効果的な5つの対策」の具体例として、
①食習慣（栄養バランスの良い食事）
②運動習慣（外に出る機会を増やす）
③対人接触（人と話す機会を増やす）
④知的行動習慣（文章を書く・読むなど）
⑤睡眠習慣（昼寝・朝に太陽の光を浴びる）
さらに、生活習慣病を予防して、持病を治療することも大切です。

調べてみてわかったことは、食事は、外食や自炊をする場合でも、栄養バランスに気をつけることです。

また、30分以内の昼寝は、アルツハイマー型認知症予防に効果があるそうです。

何よりも、適度な運動はもちろん、無理なく楽しんで続けることが重要なんですね。

私がYouTubeを始めたきっかけは、正にボケ防止のためでした。パソコンの使い方や動画撮影の方法などを調べたり、当初はわからないことだらけでした。色々勉強になります。

おかげさまで、YouTubeは認知症予防になっています。

30 国民年金の保険料納付期間延長
――お金をかけない老後の楽しみ方

国民年金に関する10月下旬のトップニュースです。

突然「国民年金、納付45年へ延長検討」なるニュースが飛び込んできました。

政府は国民年金（基礎年金）の保険料納付期間を現行の20歳以上60歳未満の40年から延長し、65歳未満までの45年間とする検討に入ったそうです。

現役世代減少を受けて、給付水準の低下食い止めをはかる狙いのようです。

しかし、自営業者や、60歳以降は働かない元会社員らは負担が増すことになります。

また、国民年金の納付延長に加えて、厚生年金財源の一部を国民年金に回す見直しも検討されています。

ニュースを見ていても、年金受給者にとって、先行き不透明感は否《いな》めません。

いずれにせよ年金だけでは生きて行けない。年金生活では、生活費が足りません。

でも、限られた収入の中でどうにかやりくりしなければ。

節約してるつもりですが、何か見落としているかもしれない。私も生活費の見直しを考えています。後日改めて、一カ月の生活費を再確認してみたいと思います。

くよくよしても仕方ありません。

そこで、毎日を充実させたいという思いから、お金をかけない老後の楽しみ方を考えて

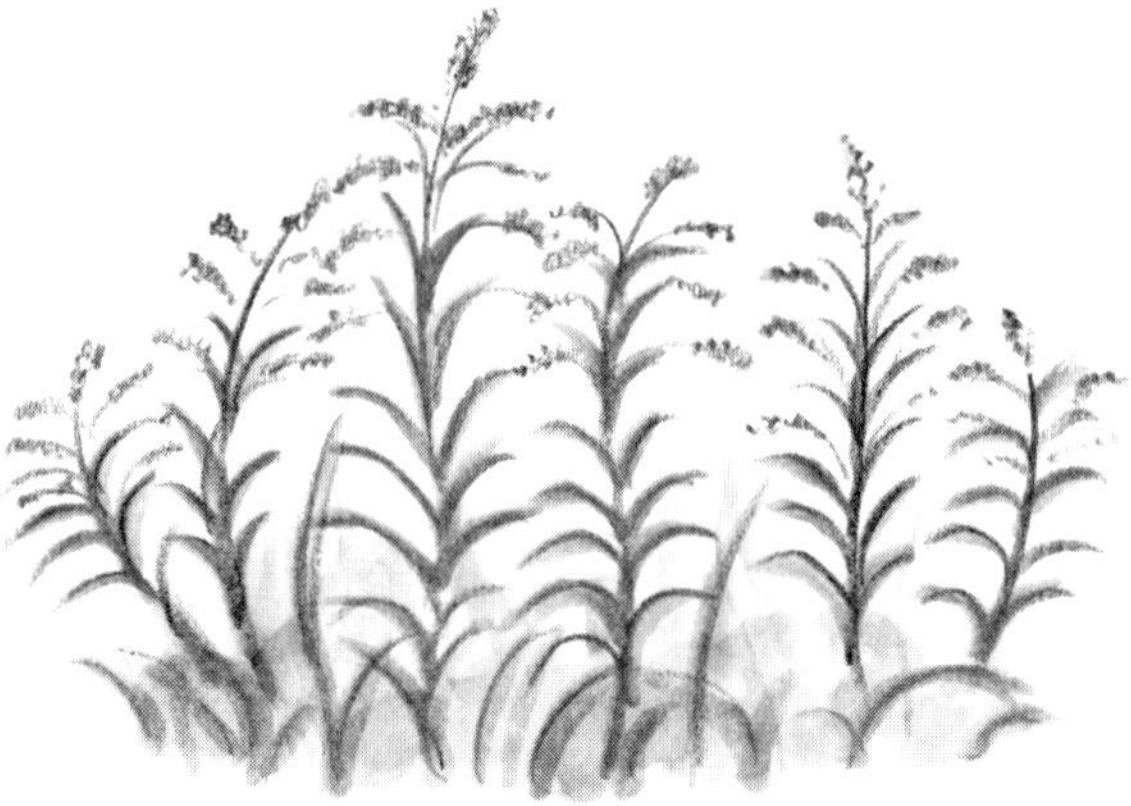

みました。

課題は3つです。

①趣味を探す

私には、趣味といえるものはありませんでした。

しかし、度重なる怪我や病気で体を壊してから、健康が一番の節約だと再認識しました。そして、始めたラジオ体操は三日坊主に終わりました。

そんな時、健康診断で医者から勧められたのが散歩でした。

健康のために始めた散歩ですが、気分次第でウォーキングやジョギングしたり、少しずつ体力がついてきたみたいです。

何よりも、季節の移り変わりを肌で感じることができます。お金がかからず、時間に拘束されない最高の趣味になりました。

②認知症予防と健康

私は最近物忘れが酷くなりました。

新しいことが覚えられなかったり、忘れっぽくなった気がします。

みなさんは、歳を重ねるごとに忘れっぽくなっていませんか？

私は歳のせいだと高を括っていました。もしかしたら、認知症の兆候かもしれません。

以前から何度もお話ししていますが、一人暮らしなので、一日中誰とも話をしないことがあります。しかし、頭を使うことで認知症予防になるそうです。

私は、よくパソコンで、無料の脳トレ問題や漢字当てクイズなどを楽しんでいます。

そして、インターネットやYouTubeは、とても良いボケ防止になっています。

③生きがい

みなさんの生きがいは何ですか。

私の生きがいは、毎日楽しく過ごすことです。

息子は遠くに居て会えないので、一人で楽しむことを考えています。

近頃、年金の問題で、暗い話ばかりになってしまいます。そんな現実を明るくできるのは、心の持ちかた次第だと思っています。

例えば、家にあるもので、美味しい料理ができた時、「ヤッタね」って心の中でガッツポーズを取ったりします。

スーパーへ買い物に行ってお買い得商品を見つけた時は、もうウキウキです。

散歩で珍しい花を見つけた時は、本当に感動します。

パソコンでできなかったことができるようになると、もっと頑張ろうって思います。

好きな映画を好きな時間に見られて、一人暮らしもいいもんだと思います。

他にも、読書・映画観賞・インターネット・SNS・編み物や手芸・カメラ・旅行・ウォーキング・料理・カラオケ・脳トレ・eスポーツなど、すぐそばに、楽しいことは無限にあります。

31 年金の支給開始の年齢は？

どうも休みの朝は、二度寝をしてしまう傾向にあります。

仕事明けで疲れているのかな。気が抜けてだらけてしまうのかな。朝までぐっすり眠れるのは健康の証《あかし》っていうものだから、プラス思考で、まあいいか。

みなさんは、何歳から年金を受給しますか。

私の場合、60歳から特別支給の老齢厚生年金を受給しています。国民年金の老齢基礎年金と厚生年金保険の老齢厚生年金は、65歳から受給します。

ちなみに、国の老齢厚生年金（報酬比例部分）の支給開始年齢は、平成14年4月より、既に60歳から65歳に段階的に引き上げられています。

そして、２０２２年4月から年金支給額が引き下げられました。年金支給額の減額は2

年連続です。しかも、相次ぐ値上げラッシュはとどまることがありません。

食料品から日用品、ガソリン代や公共料金まで値上げしています。

これでは、ますます年金生活者の財布の紐は固くなりますよね。私も節約志向が一層高まっています。

老後の生活に充分な貯蓄もなく、僅かな貯金を切り崩しながら日々やり繰りしています。

生涯働かなければ生きていけない私にとって、年金は唯一の安定収入です。そう考えると、60歳から特別支給の厚生年金をいただけたので、助かりました。

本当にお金がなかったのです。

年金のおかげで、あれから少しだけ貯金することができました。それでも、いつどうなるかわからないので、食費をつめたり生活費をつめたりしてやってます。

今年になってから、度重なる怪我と病気で辛い思いをしました。

命をつなぐことができたのは、年金で貯めた貯金のおかげです。

今は、パートの仕事を続けながら、一日も早く本来の健康を取り戻したいと思っています。

人はいつ何があるかわからない。

今日という日を大切に、楽しく過ごしたいと思います。

32 昔懐かしいおふくろの味カレー

今日は、昔懐かしい黄色いカレーを作ります。おふくろの味カレーです。そういえば、昭和の給食カレーも黄色いカレーでしたね。

みなさまは、週に何回カレーを食べますか。

私はカレーが好きなので1週間に1回くらいかな。カレーは手軽に作れて栄養も摂れます。しかも作り置きができます。カレーが国民食と呼ばれる所以《ゆえん》かもしれませんね。

もちろん、一人暮らしにももってこいの料理です。

材料は、豚こま、玉ねぎ、ジャガイモ、人参と至ってシンプルです。

煮込むととろけるジャガイモは、一つ追加して全部で2個使用しました。

本来ならば、カレーは、ラードと同量の小麦粉を炒めてからＳ＆Ｂの赤缶カレー粉を入れることで、カレーがより黄色くなるそうです。

今回は、ラードが無かったので、米油で代用しました。

ただし、カレー粉は入れすぎると茶色くなるのでご注意ください。

日本のカレー粉には、ターメリック、コリアンダー、赤唐辛子などの香辛料が入っています。

高価な香辛料を買わなくても、美味しい基本のカレーライスを作ることができるなんて、優秀な調味料ですね。

私が小学校の頃、学校給食が楽しみでした。給食の献立表が配られると、家の壁に貼ってカレーの日に赤丸をつけていました。それくらい月に一度の給食カレーは特別な日でしたね。

生徒のみなさんは、昼ごはんが給食カレーになると、カレー皿に入る肉の量を比べて一喜一憂していました。

そして、クラスメイトの男子はみんな早食いでした。

みんな給食カレーのおかわりが欲しいからです。早く食べて順番待ちをしたり、カレー戦争みたいになってました。

　給食カレーがとても待ち遠しかったので、母によくカレーライスを作ってもらいました。やはり母のカレーが一番美味しかったです。

　思い出のカレーは、昔懐かしいおふくろの味カレーです。カレーライスの思い出はつきないです。


　ところで、相次ぐ値上げラッシュにより、物価高で物が買えなくなっています。

　厳しい年金生活を強《し》いられる中で、食費をつめたり生活費をつめたりしてやってます。

　そこで、有意義な節約生活を継続するために、生活費の見直しをしました。

　２０２２年９月の生活費をすべて公開いたします。また、ずぼらな私の備忘録でもあります。

　みなさまのご参考になれば幸いです。

～1カ月の生活費～	
家賃	43,000円
食費	18,280円
光熱費	13,922円
通信費	3,278円
交際費	1,800円
雑費	4,044円
医療費	6,720円
交通費	6,000円
保険料	5,000円
税金	2,080円
合計	104,124円

家賃は4万3000円です。

アパートの大家さんが高齢のため、掃除やゴミ出しなどの管理ができなくなりました。管理会社に委託したので、家賃に管理費が加算されるようになりました。

もっと安いアパートに引っ越したいのですが、とても費用がかかるので躊躇《ちゅうちょ》していま す。

ここは古いアパートですが、最寄駅から徒歩圏内です。近くにスーパーがあるので、とても便利です。車はありません。

食費は、1万8280円です。スーパーでは、値引き品を目指して買い物をしています。野菜が高くなったので、少しずつ買うようになりました。

節約をしながらでも満足できる食事を心がけ、食費は2万円以内に抑えるようにしています。

光熱費は、1万3922円です。

内訳は、電気代6807円、ガス代2693円、水道代は4422円です。

9月はまだ暑かったので、電気代がかかるエアコンの使用頻度が高かったのかなって思います。

ガス代2693円で、ちょっと控えめな請求金額でホッとしました。

夏場のお風呂は、シャワーですませています。しかし、アレルギー体質なので、汗をかくと痒《かゆ》くなります。そのため、朝晩シャワーを浴びる時もありました。

水道代は、2カ月に1度の請求で4422円です。1カ月あたりに換算すると、月2211円になります。

通信費は、3278円です。格安スマホを使っています。

モバイルWi‐Fiルーターを使用していますので、外にも持ち出せて、Wi‐FiにつなげばPCやスマホと通信できます。

あと自宅に固定電話はありませんが、何不自由なく暮らしています。

そして、交際費は、１８００円です。

予算は１万円ですが、通常余った分は貯金します。

９月はパートの仕事先で嬉しいことがありました。店の若店長に赤ちゃんが生まれました。嬉しい知らせで、みんな笑顔になりました。

早速、職場の方で集金をして、出産祝いを贈りました。ささやかなお祝い金ですが、こういう出費なら大歓迎です。

私の小遣いは、月５０００円ですが、９月は外食なしで、０円でした。外出時には水筒を必ず携帯するので、ペットボトルの水も買いません。

お昼は、お弁当かおにぎり持参です。当然、被服費もなしです。

寒くなってきたので、そろそろ暖かいインナーとパンツが欲しいです。

秋の装いでどこかにお出かけしたいですね。予定がなくてちょっと残念です。

雑費は、４０４４円です。

地元のドラッグストア、マツモトキヨシのクーポン割引（10％）を利用して、洗剤、トイレットペーパーなどの日用品と、ＢＢクリームなどの化粧品を購入しました。

ところでハンドクリームが残り少なくなりました。べたつかない無香料のいいものを探しています。

そして、医療費は、６７２０円です。

内科受診で血液検査をしました。肝臓等の数値が改善するまで、定期的な検査が必要となります。

それから、ずっと内緒にしていたのですが、歯の破折と知覚過敏が酷くなったので治療しました。実は、夏からずっと、食事をする度に歯がしみて「ヒーハー」してました。

先生によると、歯茎の位置は、加齢と共に少しずつ下がってくるそうです。

ショックでした。露出した象牙質を保護するために、何本も歯の治療をしました。

おかげさまで、劇的に改善され、食事も楽になりました。

これにて一件落着。良かった。

交通費は、６０００円です。通勤や用事で出かけるのに、定期券がないので、パスモをチャージしました。

時々売り場でも、ちょっとした買い物やおつかいを頼まれます。例えば、事務用品を買いに１００円ショップへ行ったり、他店舗に婦人服を届けたり、大切な書類を事務所まで届けに行きます。これもパートの仕事です。面白いでしょ。

ちなみに、交通費は立て替えで、後払いになります。

保険料は、５０００円です。支払う保険料は県民共済です。

先日、コロナにかかった時の保険金が下りました。

月々１０００円の傷害保険は解約しました。年間で1万２０００円の節約になりました。

私には貯金がないので、保険（県民共済）はお守りだと思ってこのまま掛けようと思っています。

税金は、国民健康保険料２０８０円です。

結果、９月の出費は、合計で、10万４１２４円でした。

そして９月の給料は、６万３９２０円でした。

パートの仕事はまだ見習い中で、応援要員。月に10日程度の出勤です。社会保険は未加入で、有給休暇もありません。８月は、流行り病に伏せていたので、パートの給料は激減しました。トータルで、４万２０４円の赤字です。

仕方なく、赤字は僅かな貯金で補塡しました。おかげさまで、先日保険金が下りたので、どうにか穴埋めすることができました。

それにしても、私の生活はぎりぎりです。一日も早く健康を取り戻して、医療費0円になりたいです。

厳しい状況下で、私が目標としている「たのしい」暮らしってなんだろう、ってふと考えました。

「楽しい」とは、自然と笑顔がこぼれてくる、とてもポジティブな心の状態だそうです。

一方、「愉しい」は仏教にゆかりのある言葉で、心にわだかまりが無く、穏やかになった状態だそうです。

限定的な「楽しい」も良いですが、私は心穏やかに「楽しい」を継続していけたらいいなって思いました。

33　築地場外から銀座、有楽町散歩

11月は友人の誕生日がある月です。

たった一人の友人、そう私がぎっくり腰で倒れた時に、崖っぷちから救ってくれたあの人です。

年に1度の誕生日には、必ず二人でランチに出かけます。友人に誕生日プレゼントも用意しました。

楽しみです。それでは、行ってきます。

いくつも電車を乗り継いで、東京の築地駅までやってきました。地下鉄を降りたら、築地本願寺が目の前です。今日の目的地は、こちらではなく、築地場外市場です。築地でお寿司が食べたいと言う彼女のリクエストにお応えして、遠路はるばるやって参りました。

生憎《あいにく》市場は休日で、ほとんどの店がお休みでした。ちゃんと調べてから来ればよかった。まっいいか。二人の休日は今日しかない、楽しまなくちゃ。

まだお昼前だと言うのに、店内は満席で混み合っていましたが、ギリギリで座席を確保できました。ラッキー。

みなさんは、寿司屋で何を食べますか。

握り寿司、いいですね。私は、鰺やコハダなどの光り物が好きです。

今日のおすすめに従って、お得なランチセットにしました。

本日のランチは、ちらし寿司セットです。小鉢と漬け物、茶碗蒸し、味噌汁までついて１４００円。

嬉しいな。でも、実は私、甲殻アレルギーなのです。エビやイカなど、無理な食材は友人に譲り、美味しくいただきました。

ちょっと食べ過ぎた。

お腹一杯なので、散歩がてら歩いて銀座方面に向かいました。

高層ビルが並ぶ都会の真ん中に、沢山の街路樹や花々が風にそよいでいます。

そんな銀座のど真ん中に、５万匹以上のミツバチを飼う養蜂所があるそうです。知らなかった。時事通の友人は、色々私に教えてくれます。

歩いているうちに、歌舞伎座までやってきました。素晴らしい……、でも見上げるだけで素通りです。

友人のお目当ては、アンテナショップ巡りでした。実は中央区銀座周辺には、全国各地のアンテナショップが点在しています。

みなさんなら、どこのアンテナショップに行きますか。

築地から晴海通りに沿って有楽町へ向かいながら、岩手県、沖縄県、熊本県、北海道、大阪府、富山県、和歌山県、新潟県、福島県、博多など、全国各地を巡りました。

ちょっと欲張りだけど、まるで小旅行みたいで楽しい。

ここに来れば、各地の名産品を手にすることができます。珍しいものは沢山ありますが、なかなか購入には至りません。それもそのはず、私たちは、60代年金生活者です。

友人とは、長男がお腹にいる時からのママ友です。

互いに一人暮らしなので、お土産が欲しくても持て余してしまいます。

そこで友人は、バラ売りの饅頭や珍しいジュースを購入しました。私が購入したものは、自動販売機の水だけでした。

疲れ果ててたどり着いたコーヒーショップで一休み。

二人して下戸《げこ》なもので、ソフトドリンクで乾杯。チーズケーキで誕生日を祝いました。

「お誕生日おめでとう」

「ありがとうございます」

誕生日プレゼントは化粧品です。喜んでもらえて良かった。

互いの誕生日にはプレゼントを贈り祝う習わしが、かれこれ40年近くも続いています。ちなみに、プレゼントが負担にならないように、暗黙の了解で予算は控えめになってます。

テラス席から眺める景色は最高でした。

有楽町のビル群を貫くように新幹線が走り抜けて行きます。新幹線と同じ目線でお茶できるなんて、至福のひと時です。

「いつか、新幹線に乗って一緒に旅行に行きたいね」

そんな夢を一杯語り、帰宅しました。

アパートのドアを開けた途端、我に返りました。華やかな夢のような世界から現実の生活に引き戻されて、思わずため息が出ました。

銀座で何も買わなかったので、近くのスーパーでお弁当でも買おうかな。一瞬そう考えたけど、コンビニにも寄らずに来てしまった。

散財した後は、節約生活の再開です。家にあるものですませなくては。

そういえば、野菜が高くなったとか、パンが値上がりしたとか、銀座で買い物をする人は気づいているのかな。

金持ちと貧乏人。

ブランド品を身に付けて闊歩《かっぽ》する富裕層と、ダイソーのエコバッグを大事に抱えてウィンドウショッピングする年金受給者。目も合わさずにすれ違う銀座の街角。

社会の縮図がそこにありました。違和感を覚えたのは私だけでしょうか。

ブランド品に興味はないけど、新幹線に乗りたかったなぁ。

思い返せば、子どもが成人した後に、一度だけ友人と旅行に行ったことがあります。

仕事帰りの21時、元夫との暮らしに疲れてどこか遠くに行きたかった。急に思い立って電話をすると、友人は二つ返事で会いに来てくれました。

1泊2日の荷物を持って、東京駅のホームで待ち合わせました。

ところが、行くあてもなければ切符もない。すると、向かいのホームに見慣れぬ列車が入ってきました。

駅員さんに尋ねると、「寝台特急サンライズ瀬戸・出雲号」でした。

寝台列車なら、22時に東京駅を出て、旅情をたっぷり楽しんで、翌朝から目的地で活動を開始できるそうです。

「寝台列車なんて乗ったことない」

「とりあえず大阪まで行ってみる?」

「いいね」

急いで切符を買い求め、駅弁とコーラを抱え電車に飛び乗りました。

「大阪行ったら何食べる?」

「やっぱたこ焼きだよ」

「串カツは二度漬け禁止って知ってる?」

「そりゃそうだ」

楽しみが止まらなくて眠れない。

コーラをちびちび啜《すす》りながら、ラウンジでは旅のプランで盛り上がりました。

ところが、巡回にきた車掌さんから驚きの宣告が。

「名古屋にも、大阪にも停まりませんよ」

「嘘でしょう」

「え〜どうしよう」

動揺する二人に、車掌さんから素晴らしいプランをいただきました。

「サンライズ瀬戸は、大阪・神戸には停まりません。早朝に姫路駅で降りて、折り返し通勤電車で神戸、大阪へ移動すると、食い倒れの街大阪を堪能することができますよ」

「行けるじゃん」

「おお」

あまり遠出をしては、帰りの時間が気になります。二人とも関西は奈良・京都の修学旅行以来でした。

教えの通り、兵庫県の姫路駅に到着。大阪方面へ向かう通勤電車はガラガラでしたが、ほぼ徹夜組の二人はお腹が空いていました。レストランを探しに7時前に三ノ宮駅（神戸市の中心駅）で下車、しかし、朝早すぎてどこもやっていません。

そこで、ポートアイランドへ移動し、おしゃれなホテルのラウンジでモーニングを食べました。目玉が飛び出るほど美味しかったです。また食べに行きたい。

神戸ではポートタワー、神戸北野異人館街を散策しました。それから大阪へ移動し、通天閣を眺めながら、念願のたこ焼きと串カツを食べ歩きました。

どこに行っても見どころ満載で、気づいた時には太陽が西に傾き始めていました。

そして、新幹線の車窓から眺める富士山は格別でした。

ほとんど徹夜で一泊二日の弾丸旅行、こんなに充実した旅は後にも先にもないでしょう。


あれからおよそ20年、私たちは旅行する余裕もなくひたすら働いてきました。

あの時、会いにきてくれてありがとう。生きる望みができました。

思い切って寝台列車に乗れてよかった。駅弁が食べられてよかった。富士山が見られてよかった。奮発して新幹線に乗れて楽しかったね。

思い立ったら吉日で、友人と一緒に旅行ができて本当によかった。

素晴らしい思い出をありがとう。

そんな思い出を共有する友人ができて、私は本当に幸せです。

「また新幹線に乗りたいね」

「元気なうちにまた行こう」

「元気なうちに」

また旅行に行けたらいいなぁ。

疲れた。スマホの万歩計をみたら、1日で1万2000歩も歩いていました。築地場外~銀座有楽町まで散歩するにしては寄り道が過ぎました。

明日からパートの仕事に向かいます。

「楽しかった」思い出を胸に、また明日から頑張らねば。

34　1日食費200円生活の食事

今日は、1日食費200円生活の食事に挑戦したいと思います。

朝ごはんは、昆布のおにぎりとトン汁です。昆布の佃煮はだしを取った後の昆布で作りました。実質0円です。

そして、YouTubeの視聴者さんから教えていただいたトン汁を作りました。豚のバラ肉が無かったので、豚ひき肉で代用しました。

作り方は、フライパンにごま油をひいて豚ひき肉を炒めます。ひき肉の色が変わったら、もやしを加えてさらに炒めます。

味噌汁を作るのにフライパンを使うのは、豚肉を炒めてコクと香りを引き出すためです。

そこへ水と顆粒だしを加え、沸騰したら火を止めて味噌を溶かしたら出来上がりです。

たった2つの材料で、風味豊かな美味しいトン汁が出来上がりました。

一人暮らしなので沢山野菜を買っても食べきれません。冷凍保存もできますが、消費期限があります。できれば、新鮮な野菜を沢山食べたいですね。

トン汁は、とても美味しかったです。教えていただきありがとうございます。

それでは散歩に行ってきます。

散歩を通じて秋の自然に触れる。そして、虫や自然物に興味を持つって楽しいですね。

私は今まで、人や物に興味がなく、淡々とした日々を送ってきました。原因は、幼少期からの度重なるいじめ問題があったからだと思います。

結婚、倒産、離婚、夜逃げ、元夫の失踪、借金の取り立て、二人の子育て……波乱万丈な私の人生、色々あったな……。

花を愛《め》でることができるようになったのは、貧しくともやっと落ち着きを取り戻した証かな。

この歳になって、ようやく季節によって自然や人々の生活に変化があることに気づくなんて、遅咲きのヒマワリみたいですね。

続いて、1日食費200円生活の昼ごはんは、視聴者さんからご提案があった、ちくわを使ったシンプルなちくわの磯辺揚げを作りました。

ちくわは安くて色々な料理にアレンジできる優秀な食材です。これからも、使ってみたいと思います。

午後は、疲れてちょっと横になったら、ぐっすり寝てしまいました。窓を開けっぱなしだったので、寒くなって起きました。ずぼらなもので、洗濯機を回したまま寝てしまい、気づいたら夕方でした。

天気がいい朝に、やっとけばよかった。

洗濯物は、干しておけばそのうち乾く。まっいいか。


夜ごはんは、ロールキャベツです。

煮込み料理は久しぶりです。沢山作ると飽きるので、今日は食べきれる分だけ作りました。

ロールキャベツの具は、キャベツの芯もみじん切りにしてかさ増しします。茹でたもやしもみじん切りにして、豚ひき肉に加えます。さらに片栗粉を加え、塩コショウで味を調えます。

茹でたキャベツに具をのせて包んだら、ロールキャベツの巻き終わりは楊枝《ようじ》で止めます。

トマトが高くて買えなかったので、玉ねぎのみじん切りとトマトケチャップで代用しました。

フライパンに油をひき、飴色になるまで中火で玉ねぎを炒めます。そこにトマトケチャ

ップを加えて炒めます。すると、玉ねぎとケチャップの旨味が相まって、まるで本物のトマトを使用したような深い味になります。トマトケチャップは最高ですね。

そして、玉ねぎとトマトケチャップを焦がさないように炒め、水、コンソメスープの素、塩こしょうを加えます。ソースが沸騰したらロールキャベツを加えて煮込みます。

貧乏人のアイデアですが、とても美味しかったです。

それでは、「1日食費200円生活」本日の食費を発表します。

豚ひき肉(80g)	84円
もやし	20円
昆布の佃煮	0円
ちくわ(3本)	57円
キャベツ	27円
玉ねぎ(1/8)	6円
合計	194円(税込み)

豚ひき肉は、100g当たり99円（税込み106円）でした。味噌汁に30g、ロールキャベツに50g使いました。合わせて80g使ったので、84円でした。

そして、もやしは、1袋19円（税込み20円）でした。味噌汁に一つかみ、ロールキャベツの具に一つかみ使いました。余ったもやしで、「もやしのナムル」を作り、作り置きにしました。もやしの有効活用ですね。

前述の通り、昆布の佃煮は、実質0円。ふりかけにしたり、おにぎりの具に使ったり、大活躍でした。

そして、一袋5本入りのちくわは、89円（税込み96円）でした。そのうち、３本使ったので57円。

キャベツは、1玉１００円（税込み１０８円）で、１／4使ったので27円でした。

1個50円（税込み54円）の玉ねぎを１／８使ったので、６円でした。

そして、「1日食費２００円生活」の合計は、１９４円（税込み）でした。

1日食費２００円生活には、お米と調味料は含んでいません。作ったおかずの金額になります。

ただし、お茶碗1杯で20円なので、朝昼晩のごはんを含めると、1日２５４円になります。

みなさんのご参考になれば幸いです。

私の年金生活の目標は、1日６００円生活なので、かなりの節約になりました。

今回の体験を通して、節約しながらでも美味しい料理を食べることができるんだなと思いました。

ただ、毎日続けると、ストレスになります。必要に応じて、時にはコンビニのカップラーメンやお菓子を買って食べることもあります。

あまり肩肘を張らずに節約生活を楽しみながら続けていけたらいいなって思います。

作り置きした「もやしのナムル」はとても美味しかったです。

35 実は、家族で食事や温泉旅行に行きたい

みなさんは、休みの日には、何をして過ごしますか。

パートの仕事がない日には、ほぼ自宅に引きこもり、料理をしたり、パソコンの作業をしたり、映画やYouTubeを見て過ごしています。

私は、これといった趣味も特技もない一人暮らしなので、今まで何もしない一日をボーっと過ごしてきました。

でも、生き甲斐を見つけることができました。

長い間、一人暮らしや体調不良を口実に、何をするにも億劫になってしまい、面倒なことは後回しにしていました。YouTubeを始めてから、以前に比べてポジティブ思考にな

りました。

体の調子を見ながら、少しずつアパートの部屋の片づけをするようになりました。本格的にパソコンの勉強を始めたり、毎日散歩にでかけるようになりました。

少しずつ、パソコンにも慣れてきました。

調べものをしていると（ネットサーフィンって言うらしい）、知らなかったことが、「なるほど」と、腑《ふ》に落ちるのが楽しくて仕方ありません。

スマホはとても便利ですが、老眼なので、（老眼鏡よりも）パソコンの方が見やすいです。

また、散歩という素晴らしい趣味ができました。少しずつ歩く距離も伸びています。健康のためにも、このまま続けていきたいと思います。

持病の腰痛も、ズボラストレッチで改善してきています。

みなさんは、休みの日はどこに行きたいですか。

本当は家族で温泉旅行に行きたい。

流行り病で外出が制限されてから、もう何年も出かけていません。近くていいから、家

族そろってのんびり温泉に入りたいです。
日帰り旅行でもいいから、どこか遠くに行ってみたい。
それから、家族と食事がしたいです。
機会がありましたら、五目ちらし寿司を沢山作って家族に食べさせてあげたい。
でも、長男は仕事が忙しく、他県に住んでいるのでなかなか会うことができません。
一人でいると気楽でいいですが、ちょっぴり寂しい時もあります。
年金暮らしなので生活は厳しい状況です。
いつか夢が叶《かな》うといいな。

36 生活費を下げるのにみなさんはどうしていますか？

午後はいつものようにパソコン作業をしました。

集中力が下がると、甘いものが食べたくなります。そんな時には、気分転換に、手作りでおやつを作ったり、バナナを食べて飢えをしのいでいます。

子どもの頃からおやつはバナナなんて、代わり映えしない生活で、笑っちゃいますよね。

でも、安くて手軽に栄養補給できるバナナは、美味しくてずっと大好きです。

ところで、物が高くなりましたね。最近、毎日のように物価高騰のニュースを見ています。物価が上がり支出が増えた一方で、相変わらず収入は上がらないままです。

私のように厳しい状況下で年金生活を続けている方は、沢山いらっしゃると思います。

生活費を下げるのにみなさんはどうしていますか？

私は、光熱費の見直しや食費を切り詰めてどうにか暮らしています。

総務省統計局の『家計調査報告〔家計収支編〕２０２１年（令和3年）平均結果の概要』によれば、住居費を除いた単身世帯（全年齢）の生活費の平均額は13万２９２８円だそうです。

こちらの金額は、（住居費を除いた）あくまでも全年齢の平均額です。年齢や性別、住んでいる地域によってもちろん差が生じてきます。

一方で、私の生活費は、以前公表した通りです。繰り返しになりますが、私の9月の出費は、合計で、10万４１２４円でした。こちらは、アパートの家賃（住居費）を含めた出費です。

一人暮らしで生活費を抑えるためには、収入に見合った生活をしなければなりません。

しかし、全国平均と照らし合わせてみても、私の生活は平均以下です。

そして、昨今の値上げや物価高騰で、追い打ちをかけるように厳しい状況になっています。

帝国データバンクが上場する食品主要メーカー１０５社を調査した結果、２０２２年の値上げ品目は2万品目を突破し、平均の値上げ率は14％に上るそうです。

すると、これまでの食品値上げによって少なくとも、1世帯当たり年間7万円の負担増となります。さらに、電気代は25・8％、都市ガス代は27・6％、ガソリン代は14・3％、生鮮食品を除く食料は2・3％上昇したそうです（東京都）。

そして、値上げは2023年以降も予定されています。

これだけの商品が一気に値上がりするのは、正に「異常事態」です。今までと同じ暮らしを続けるだけで支出が増えるなんて、本当に大変です。

みなさんは、値上げラッシュでどのように生活を変えましたか。

私は、節約生活を続ける中で大きな変化がありました。

一つ目は、プライベートブランドや外国産肉を買うようになりました。今までは、値引き品であっても国産の肉や野菜にこだわり、近くのスーパーで買い物をしていました。しかし、少し足を延ばして、プライベートブランドの安い食材を買い求めるようになりました。

例えば、業務スーパーの豆腐は、1丁29円（税込み31円）です。また、某スーパーの厚揚げは、1袋88円（税込み95円）、国内産豚ひき肉（冷凍）400gで410円（税込み）

です。ちなみに、説明には、「こちらのひき肉は、パラパラ状態で冷凍しておりますので、必要な分だけ解凍してご利用いただけます」との表示がありました。とても便利で使いやすいです。

ところで、みなさんは買いだめをしますか。

私は、今まで買いだめはしませんでした。節約生活を始めるまでは、セールの時に少しだけ、大好きなお菓子を買ったくらいです。

買いだめはしていませんが、昨今の世界状況を鑑《かんが》みて備蓄を始めました。病気で体が動けなくなった時に、食料品の備蓄の必要性を痛感しました。以来、3日分の水と食料を備蓄しています。

消費期限を確認して、便利で品質の良いものを探しながら、楽しく買い物をする。

スーパーでの買い物の仕方が変わりました。

二つ目は、1円でも安いことを常に意識するようになりました。

「できるだけ安い物を買う」「セールや特売の時に買い物をする」など、「ちりも積もれば山となる」です。

三つ目は、「外食を控える」です。

以前もお話ししたように、支出を抑えるために外食は控えて、自炊しています。ただし、必要に応じて、交際費やおこづかいの範囲内で、外食やコンビニのお菓子を買うこともあります。

四つ目は、食材の無駄をなくすことです。

「いかに安く買うか」って大切ですね。でも、せっかく安く買っても無駄にしてしまっては、元も子もありません。「いかに食材を使い切るか」が大切かなって思います。

また、電気代とガス代は、同じ会社にまとめるセット割を利用しています。

必要最低限以外のものを買わないようにしたり、セールやポイントキャンペーン期間を狙ったり、節約意識をもって色々工夫をしています。

ただ、やみくもに切り詰めると、ストレスが溜まって、すぐに挫折してしまいます。

食べたいものを食べたり、欲しいものを買ったり、趣味にお金を費やしたり、臨機応変に暮らしていけばいいなって思います。

でも、年金だけでは食べていけない老後の暮らしが気になります。

資産形成には、貯金や株式投資、ＮＩＳＡなど、代表的な方法があります。私は、余裕がないので貯金をするだけで精一杯です。

何か、良い方法があれば教えてください。みなさんは、老後の資産形成のために何をしてますか。

少ないですが、私は、60歳になってから、今までいただいた年金をすべて貯金してきました。そのおかげで、病気や怪我で倒れた時にとても助かりました。

また、僅かですが、使わなかった交際費や小遣いを貯金してきました。そのため、冠婚葬祭や急な出費にも快く対処できます。

一人暮らしなので、気楽でいい。

無理しないで、ポジティブ思考で、私らしく暮らしていけたらいいな。

37 またひとつ私のやりたいことが増えました

11月の下旬に、長男の義母が転院しました。義母は、2カ月前に突然くも膜下出血で倒れ、生死の淵を彷徨《さまよ》っていました。

何とか一命を取り留めることができました。意識が戻った義母は、家族の前で号泣したそうです。

家族の祈りが通じたのかな。本当に良かった。

大変だったね。辛かったね。お義母さん、よく頑張った。

あの危機的状態から生還したのですから、凄い生命力です。これからは、転院先の病院で、様子を見ながら治療していくそうです。

しかし、後遺症で体は思うように動かせず、言語障害があります。リハビリを続けて動けるようになっても、元の暮らしには戻れない。

長男家族にとって、今後の展望に陰りが見えてきたようです。

義母の様子について、長男から電話がかかってきました。色々話をしていると、

「かあさん、やりたいことがあるんじゃない」

「えっ」

急な問いに驚いて私が聞き返すと、長男は、

「体が動く今のうちに」

「そうだね」

そう言って、私の行く末を案じてくれました。

他人事ではありません。一人暮らしの義母は、私と同じ歳です。今回の件で、改めて「思い立ったら即行動」だなぁって思いました。

健康面だけではありません。今のご時世、いつ何があるかわからない。

そう、思ったら即行動。私には時間がない。やりたいことが山ほどあります。体が動く今のうちに行動を起こしたいと思います。

みなさんの夢はなんですか。

この年になって夢なんてない。そう思っていらっしゃる方、多いかもしれません。

そんなことないですよ。

いつかお金を貯めて家族旅行に行きたいとか、私にも夢はあります。毎月、少しずつ貯金をするとか、方法を見つければ夢に近づくことができると信じています。

実は、私にはもっと大きな夢があります。

それは、江戸時代の暮らしに興味があって、長年調べて書き溜めたものをいつかまとめて形にするということです。いつになるかわからないけれど、江戸時代についての本を書きたいと思っています。

こんな私に、「何言ってるの」と、みな口をそろえて言うでしょう。きっと、無理だと言われる。そして、誰もが失笑するでしょう。仮に、原稿が出来上がっても、有名人や成功者以外の一般人が出版するにはお金がかかります。

だけど、息子から言われたひと言で、またひとつ私のやりたいことが増えました。

こんな私ですが、ポジティブ思考でできることから始めようって思います。

誰でも、今日生きてることは奇跡です。

命あることに感謝して、一日一日を有意義に、そして、大切に過ごしていきたいと思います。

38　昔ながらのおうちプリン

今日の天気は、曇り時々雨です。外は小雨が降ったりやんだりしています。ちょっと肌寒い一日になりそうです。薄手のコートだけじゃ寒くてもう無理です。

今年初めて、厚手のコートを着て出かけました。

周りを見ると、みなさん、まだ薄手の上着で散歩していました。

汗をかくから薄着なのかな。それとも、私が寒がりなのかな。

公園に行ったら、猫ちゃんに出会いました。

先日、仕事帰りに出会った猫ちゃんかもしれません。この公園の住人でしたか。

「こんにちは」

近づいても、臆する様子はありません。きっと、人馴れしてるのね。

「バイバイ、またね」

かわいい。散歩の途中で、また会えたらいいな。

空模様が次第に怪しくなってきました。

歩いても歩いても、体は冷え切ったままです。今日は、早めに切り上げた方が良さそうです。

近頃、ネットサーフィンにハマっています。楽しくて仕方ありません。

ゲームをしない、趣味もない私です。これまで一人暮らしになってから、休みの日は、何をして過ごしていたのだろう。全く記憶にありませんが……。

確か、仕事に疲れて一日中家でゴロゴロしていて、ボーっとしてただ一日を過ごしていました。

ネットが使えるようになって良かった。散歩の趣味が見つかって良かった。

そんな風に思えるようになりました。


お昼ごはんは、あるものですませました。でも何か物足りない。

みなさんは、食後に何か食べたいって思うことありませんか。

私は、時々、甘いものが食べたくなります。食後のデザートですね。

冷蔵庫にあるもので、何か作れないかな。

こんな時、みなさんなら何を作りますか。

冷蔵庫に常備してある卵があったので、おやつにプリンを作ろうと思います。

材料は、2人前で、卵1個、砂糖　大さじ2、牛乳　120㎖です。

カラメルは、水　小さじ2、上白糖（グラニュー糖）小さじ2、お湯　小さじ1です。
※容器は必ず耐熱性のものをお使いください。

作り方は、先ず、カラメルソースを作ります。

①耐熱容器に上白糖と水を加えたら、電子レンジで1分30秒～2分加熱し、茶色くなるまで煮詰める。

※時間は、ご家庭の電子レンジによって変わります。レンジの前で、砂糖が煮詰まるまで、見張っていてくださいね。

②①にお湯を入れ、スプーンでかき混ぜます（濃度調節のため。入れないと固まって鼈甲飴になる可能性があります）。

※カラメルが跳ねるので、やけどしないようお気をつけください。

③ボウルに卵を割り入れてほぐし、砂糖を加えて混ぜる。さらに、牛乳を加えて混ぜる。

④茶こしで漉す。（3回以上）

※なめらかな舌触りになります。

⑤①を容器に入れ、プリンの生地を注ぐ。

⑥⑤に、アルミホイルを被せ、熱湯（容器の3分の1が被るくらい）を注いだ鍋に入れ、蓋をして極弱火で7分蒸す。火を止め、蓋を開けずに10分置く（余熱で火を通しま

す)。

※くれぐれも、やけどにご注意ください。

⑦粗熱を取ったら、冷蔵庫で2時間冷やす。

⑧お皿に取り出し、出来上がり。

沢山作る場合は、カラメルの砂糖と水は同量と覚えておくといいですね。

以前、電子レンジで作れるプリンに挑戦したことがあります。

なんと、大失敗で、甘い茶碗蒸しになったことがあります。卵料理って難しいですね。

今回は、失敗を回避して、鍋にドボンしました。

そして、弱火で7分蒸しました。やはり、基本の料理は大事ですね。

おいしくなぁれ、おいしくなぁれ。

冷蔵庫で冷やし固めます。楽しみです。いつも食べてばかりですね。

好きなものを作ったり、食べたりするのが大好きです。

プリンできたかな。

冷蔵庫を覗《のぞ》いてみたら、いい感じに冷えて固まっています。

少ない材料で美味しいプリンができあがりました。卵1個で2人前。ココットが無かったので、マグカップで代用しました。

ちなみに、マグカップは、誕生日に友人からもらったプレゼントです。

容器がちょっと大きすぎたかな。なかなか出てこない。

丁度いい甘さで優しい味です。

一人暮らしも悪くない。好きなこととして好きなものを食べて、幸せです。

そう思った瞬間、グラッと揺れました。

地震です。ちょっと大きい。そして長い。

こんな時、一人でいると不安になります。

その時です。

携帯の着信音が鳴り響きました。

「大丈夫？」

息子から電話がありました。

「大丈夫よ」

「気をつけて」

「ありがとう」

短い会話でしたが、ホッとしました。

続けて、いとこからラインが来ました。

「お姉ちゃん、大丈夫？」

「大丈夫」

胸がキュンとして、温かい気持ちになりました。

みんな心配してくれてありがとう。

私は一人暮らしだけど、一人じゃないから。

遠くにいても、守られてる。

そんな、思いを再認識させてくれた嬉しい出来事でした。

39 一軒家に住む友人

みなさんには、友人と呼べる人はいますか。

私にはたった一人、大切な友人がいます。長男がお腹にいる頃からのママ友です。

そうそう、毎年お互いに誕生日プレゼントを交換している彼女です。

友人は、20年前にご主人を病気でなくしました。以来、女手一つで二人の子どもを育てあげました。

やがて、子どもは独立し、一人暮らしになりました。

私も一人暮らしです。ご主人の件を除けば、似たような境遇です。ただ唯一の相違点は、友人には持ち家があるということです。

友人は、大きな一軒家に住んでいます。

庭の花壇には、四季折々の花が咲き乱れています。

私の記憶では、花が大好きで、暇さえあれば花壇の手入れをしていました。

友人は、パートの仕事をしています。でも、詳《くわ》しいことは知りません。

お互い、仕事の話をすると、愚痴になるからです。

暗黙の了解で、二人でいる時は仕事の話はしないことになっています。

つかず離れず、適度な距離を置いた良い関係を保っています。

ありがたいことです。

友人は、時々、安否確認と銘打って、メールや電話をかけてきます。

そんな彼女が、先日、初めて愚痴をこぼしました。

「そろそろ仕事をやめようかと思うの」

「そっか、いいんじゃない」

最近、体が重くなり、仕事が辛くなったそうです。

「ずっと働きづめだったから少し休んだらいい」

「でも年金だけじゃ食べて行けないでしょ」

びっくりしました。

家賃がかからない分、生活にゆとりがあるかと思ってたからです。

詳しく話を聞くと、家が古くなり、維持費がかかるそうです。

家賃がなくても固定資産税がかかります。

そう言えば、夏ごろに、家は外壁の工事中だと話していました。子どもたちが独立した今は、寝室と居間しか使ってないそうです。なので、掃除も行き届かず埃だらけだといいます。

それから、趣味だった庭の手入れもやめたそうです。

美しい庭木や花壇を保持するには、剪定《せんてい》や植え替えなど手入れが大変です。それなりにお金がかかるそうです。

私は、もう何年も彼女の家に行ってません。

どんな様子かわからないけれど、彼女が家に招かなくなった理由がわかりました。

「ごはんは炊くけど、もうおかずも作らなくなった」

友人から、そんな言葉を聞くなんて、本当に驚きました。

料理自慢の友人は、てっきり自炊していると思っていました。

おかずは、買った方が早くて、安上がりの時もあります。

「仕事に疲れた時は、お弁当買って帰るのよ」

食べてくれる人がいないと、作る気にならないですよね。

わかります。

確かに、一人暮らしになると、自炊するのも億劫になります。さらに、株で損したみたいです。うまい話に乗せられて、かなりの額に上るそうです。

道理で落ち込むはずだ。

家を手放して、もっと小さな家に引っ越すほどの気力も体力もない。

空いてる部屋を人に貸したくても、一軒家なのでそう簡単にはいきません。

それに、引っ越して新しい環境に慣れるまで時間がかかります。

歳を重ねると、なおさら大変になると思います。

やはり住み慣れた家が一番です。

友人も同じ年金生活者です。一見、裕福そうに見えるのに、こんな悩みを抱えていたなんて、言葉になりません。

みなさん、お金で苦労されているんですね。

「何の力にもなってあげられなくて、ごめんね」

「また、お茶しよう」

そう言って友人は電話を切りました。

一軒家やマンション等、持ち家を持っている方は、生涯安泰で、内心、羨《うらや》ましいなと思っていました。

みなさんは、老後の住まいに悩みはありますか。

私も人ごとではありません。

古いアパートで暮らしているので、将来どうなるのかわかりません。老後の不安はつのるばかりです。

総務省統計局（国勢調査）、住宅の所有の関係別割合、全国（平成17年）によれば、住宅に住む「一人暮らし高齢者」の持ち家率は、64・9％で、民営の借家に住む割合は21・1％だそうです。

そして、「一人暮らし高齢者」は、高齢親族のいる一般世帯全体に比べ、民営の借家に住む割合が高くなっているそうです。

要するに、私のような一人暮らし高齢者が多いというわけです。

そして、みなさん、年金で暮らしています。

そういえば、朝のスーパーは高齢者ばかりです。特売品を目当てにこぞって午前中に買い物に出かけるからです。

みなさん、たくましいなぁ。

これからは、私も、平日は早起きして、スーパーへ買い物に行こうと思います。

今日の卵のように、無駄に高いものを買わなくてもすむようになります。そして、お値打ち品をゲットしたいと思います。

その後、友人からメールと一緒に写真が送られてきました。家族と旅先で撮った楽しそうな写真でした。

「元気なうちに、また旅行に行こう」

そんな言葉が添えられていました。

良かった。友人は、元気を取り戻したようです。やっと、旅行にも行けるようになりました。

私も楽しい時間を過ごしていこうと思います。

パートの仕事は、少しずつ慣れてきました。

まだまだ、わからないことだらけですが、これからも、ポジティブ思考で頑張ります。

40 母と二人で出かけた高野山の紅葉

12月14日。急に気温が下がり、辺り一面紅葉の真っ盛りです。

凄い。

こんなに鮮やかな紅葉を見るのは久しぶりです。

みなさんは、紅葉を見て何を思い出しますか。

私は母と二人で出かけた高野山の紅葉を思い出します。

父の三周忌を終えた後、母が「死ぬまでに一度高野山の宿坊に泊まってみたい」と言い出したのです。今から20年以上も前の話です。

時はちょうど運動会後の秋休みでした。早速、子どもたちをいとこに預け、母と二人で高野山へ旅立ちました。

いろは坂を登りつめ、たどり着いた先は、開けた町のようでした。山かと思ったら、頂

上には至る所に寺がありました。

美しい紅葉のトンネルをくぐり、周辺を散策しました。

高野山は、平安時代の初め、弘法大師によって開かれた日本仏教の聖地です。「一山境内地《いっさんけいだいち》」といわれ、山全体が総本山金剛峯寺《こんごうぶじ》という大きな寺の境内です。そして、高野山、奥之院には歴史上有名な人物のお墓や供養塔があります。

老杉の大木に守られるように墓が立ち並ぶ道を歩くと、まるで昔と今をつなぐタイムトンネルに迷い込んだように思われました。

ヤクルトやロケット型、コーヒーカップ型など、見たこともない墓石や供養塔に驚かされました。

中でも記憶に残っているのは、福助の供養塔でした。その大きさと特異な形に圧倒されました。

ちなみに、これらの供養塔は、「企業墓」と呼ばれるそうです。

生まれて初めて宿坊に泊まって、驚きました。

宿坊には、温泉はありません。銭湯のように大きな浴槽からお湯を汲み、汗を流すだけでした。肉や魚のご馳走かと思ったら、精進料理でがっかりしました。

宿坊の朝は早く、寺の本堂で朝のお参りをします。

それから有難い説法が始まります。

長い朝のお勤めの間、正座も胡座《あぐら》もできない私はとても恥ずかしい思いをしました。

そんな様子を見ていた母は一言、「あなたを一度ここに連れて来たかった」と言いました。

そして、この旅が母との最初で最後の旅になりました。

あの時の紅葉は感動的でした。今でも鮮明に記憶に残っています。

もしかしたら、母は天国に行く前に、私に何かメッセージを残したかったのかもしれません。

いくつになっても一人前になれない私を、不憫《ふびん》に思っていたのでしょう。

辛いことがあるといつも母のことを思い出します。会いたくて会いたくて仕方ないけど、遠い昔に母は天国に旅立ってしまいました。

秋の紅葉を見ると、なぜだか涙があふれます。

公園には、素晴らしい紅葉をひと目見ようと、大勢の人が訪れていました。

その賑わいに私はひとり癒されていました。

お母さん。人一倍小さく生まれ、体が弱かった私を、大切に育ててくれてありがとう。

41 まさかの一言に涙が止まりませんでした

いつもと違って今朝《けさ》はあまり食欲がありません。ちょっと前日の疲れが残っているみたいです。

昨日職場で辛いことがありました。

午後一番に1組のご家族が来店されました。

店に入るなり若い娘さんは、レジ横のオールブラックコーデのコーナーに駆け寄りました。すかさず黒いスーツを手に取ると、「こういうのが欲しかった」と言うのです。

すると、そこにお母さんらしき方が入ってきて、「私はこれにしようかなぁ」と、別のスーツを手に取ります。

そして、「7号あったよ」と、年配の女性に、また別のワンピースを差し出しました。

「いらっしゃいませ」私が声を掛けると、いきなり「試着してもいいですか」と言われました。

「どうぞこちらです」

2つしかない試着室で入れ替わり着替え終わると、「いいじゃない、これにしよう」

「おばあちゃん、サイズピッタリじゃない」

「すいません、これください」と、即決定しました。

店で一番高いコーナーで、同時に3セットお買い上げです。

うちの店は、ブラックフォーマル専門店ではありません。ですが、通年継続的に需要があるオールブラックコーデのコーナーを設けてあります。

もしかすると、急に黒服が必要になるような出来事があったのかもしれません。

ブラックフォーマル専門店では、主に冠婚葬祭で着用する高級スーツ（または、高級ドレス）を扱っています。

一方、うちの店は婦人服専門店で、カジュアルな服を取り扱っています。以前から、ブラックフォーマルをご所望の方には、隣の専門店をご案内していたそうです。

ここ数年、若い方からオールブラックの要望が多かったそうです。

そこで、店長は、需要を見込んで専門コーナーを設けました。真摯《しんし》に、お客様の声に耳を傾けてきた店長ならではの発案です。

しかし、価格や素材において高級路線の専門店には太刀打ちできません。

そこで、店長は価格を抑えながら新作のブラックカジュアルを展示しました。言わば、目利きの店長が、東奔西走《とうほんせいそう》して集めたコレクションコーナーです。

売り上げが決定して店長は大喜びでした。

店の売り上げが上ったのはもちろんですが、1度に3着も売れたのは初めてだそうです。

きっと、こういう状況を、「棚からぼたもち」って言うんですね。

本当にラッキーでした。

ホッとしたのも束の間、店長が離席すると、隣店の店員がつかつかと私に向かって来たのです。

そして、いきなり、「**生意気よ**」と、暴言を吐きました。

びっくりしました。

激怒した店員に恐怖を覚え、私はその場で立ちすくんでしまいました。

すると、すかさず主任が私の前に立ちふさがり、「鈴木さん裏に下がって」と私にそう命じました。

私は言われるままに、バックヤードに逃げ込みました。

子どもの頃からこんないじめは慣れっこです。でも主任さんまで巻き込んでしまって本当に情けない気持ちで一杯でした。

やがて店長が私を探しにやってきました。

店長によれば、経緯はこうです。

お客様は、最初に立ち寄った隣店で、服を3着購入したそうです。しかし、服の梱包にとても時間がかかりました。そこで、たまたま待ち時間にうちの店を覗いたら、お気に入りの服が見つかり、即刻お買い上げになりました。

ただ残念なことに、隣店の服はキャンセルとなりました。そこで、私が疑われました。

「客にうまいこと言って、店の商品を鞍替えさせた」と、勘違いされたようです。

なので、腹を立てた店員が私に詰め寄ってきたわけです。

ああ、トラブルを起こしてしまった。パートの仕事をクビになるのかな。

私は不安と緊張で一杯でした。

結局、商品は、単純にお客様の意思で交換したことがわかりました。
そして、私への逆恨みは、キャンセルになった店員の勘違い（思い込み）でした。
店長が売り場で様子を見ていたので、私の問題は解決したそうです。
明日、店員さんに会ったら「おはようございます」って、挨拶しよう。
「鈴木さん、好きにやっていいよ。責任はすべて俺が取る」
「えっ」
まさかの一言で涙が止まりませんでした。
それにしても、店長、かっこいい。
一件落着したものの、昨夜はショックで眠れなかった。
でも思い返せば、店長の優しい言葉に救われました。
そして今日は、秋晴れの紅葉散歩で癒されました。

42　峠の釜めし

みなさんは、やらなきゃいけないことが溜まっているのにやりたくない時ってありませんか。

子どもの頃、夏休みの宿題は、8月の終わりになってから慌ててやる派でした。まぁちっとも自慢にならないけどね。

何もしたくない時は無理しない。無理したってどうせ長続きしないからね。

集中力が途切れたら、別のことをすればいい。

では早速散歩に行ってきます。

一人暮らしは気楽なもんだ。こうして好きな時に好きなことができる。当てもなくふらふらと出かける、いいじゃない。

今日はちょっと遠回りして違う景色を見に行こう。

散歩に出かけると、あちこちで放置された柿の実を見かけます。

渋柿なのかな。

それにしても、沢山実が成ってるのにもったいないなぁ。

そう思いながら眺めていました。すると、友人からメールが届きました。

実は、数カ月前、友人が手術をしました。鼻の副鼻腔に腫瘍があったのです。

友人は長い間、蓄膿症のため通院していました。

しかし病状は悪化するばかりでした。そこで大学病院で精密検査をしたところ、大きな腫瘍が見つかったのです。

入院して手術をすれば大丈夫、私は安易にそう思っていました。

しかしメールには、手術後、がん検査のため腫瘍を検査したところ、結果は陽性だったそうです。

気持ちの整理がつかず、なかなか私に打ち明けられなかったみたいです。

陽性？　知らなかった。

友人がこんなに苦しんでいたなんて、夢にも思わなかった。

なんて日だ。

今までお気楽気分で、ウダウダしていた自分が情けない。

早く帰ってパソコン作業を終わらせよう。


たぶん、「何もしたくない」っていうのは、楽しくないからです。

パートの仕事やパソコン作業は、「もう大変」って思わない。「新しい出会いや知識が増えて楽しい」って思ったら、きっとうまくいく。

そして、勉強は、「新しい発見があって楽しい」って思って取り組んでいたら、宿題なんかすぐに終わったのになぁ……。

要するに、すべては気持ちの持ちようで、ポジティブ思考に切り替えればいい。簡単なことなのに気づかなかった。

まっいいか。

帰宅後、友人に電話したら、意外と元気そうでした。

友人の検査結果はショックだったけれど、早く腫瘍が見つかって、良かった。直ぐに手術できて本当に良かった。

職場に復帰できて良かった。

大丈夫。これからは、楽しいことを沢山見つけて一緒に過ごしていこうね。

「がん保険がドンと降りたから、また一緒に遊びに行こう」

「いいね」

元気になった友人と遊びに行く約束をしました。楽しみです。


パソコン作業をしていたら、長男からメールが届きました。

「弁当食べる？」

「嬉しいなぁ、食べる食べる」

長男は、出張の帰りだそうです。沢山お土産を持ってきてくれました。

そして、いつものように仕事があるからと言って直ぐに帰っていきました。

これ全部私の好きなやつじゃん。

あっ「峠の釜めし」。

懐かしい。覚えていてくれたのね。

長男が中学生になった最初の夏休み。宿題が全部終わったら、「どこか遊びに連れていくよ」と約束をしました。

我が家では、年に一度、夏休み最後の週末に、親子3人でドライブに出かけるのが恒例でした。

離婚してから私は、ずっと2つの仕事を掛け持ちしていました。

母子家庭のため、毎日とても忙しく、子どもの勉強を見てあげる暇などありません。

それでも、兄弟で助け合いながら必死に夏休みの宿題を終えました。そして、ご褒美《ほうび》に軽井沢へドライブに行くことになりました。

長距離なので、本来ならば、1泊2日の旅行コースです。しかし、親子3人で宿泊する金銭的余裕はありません。

そこで、前日の夜中に家を出て、朝方現地に到着するのです。

この日の目的地は、峠の釜めしで有名な「荻野屋横川店」でした。

子どもたちは楽しくて、ほぼ徹夜状態です。

お腹が空いたので、製造工場でできあがる「峠の釜めし」を店内で休みながら待ちました。

朝6時、出来立てほかほかの釜飯をほおばりながら、「こんなうまい駅弁生まれて初めて」と言った長男の笑顔は今でも忘れられません。

私も出来立ての駅弁を食べてとても感動しました。本当に美味しかったです。

長男が言ってた弁当って、「峠の釜めし」だったのね。

サプライズです。

胸が一杯で釜飯が喉を通りません。

想い出の味「峠の釜めし」は、昔と変わらない味です。

おいしすぎる〜。

友人は元気そうだし、遊びに出かける約束もした。

今日は長男にも会えたし、大好きな駅弁も食べられた。

そして、沢山お土産物をもらった。

今日もいい一日だった。感謝しています。

43 お散歩

健康のために始めた散歩です。続けることに意味があるのかなって思います。毎日は無理だけど、休みの日に限って出かけています。
外はちょっと寒そうですが、今日は天気がいいのでお散歩に行ってきます。

わっ凍ってる。
寒いはずだ、霜柱が立ってる。
天気のことわざに「霜柱が立つと晴れ」って言われるそうです。
その通り、風がほとんどなくて晴れています。
こっちにも霜柱見つけた。
手袋を持ってこなかったので手が痛いです。

しかし、「霜柱探し」も面白いなぁ。これなら、寒い朝も楽しく散歩ができていいかもしれません。

いつもはお散歩をする人々で人気の森も、今日は貸し切り状態です。早起きは三文の徳っていうけれど、本当に得した気分です。

枯葉で覆《おお》われた小道を歩いていると、サクサク、ミルフィーユを食べた時のような音がします。

せせらぎの音が間近に聞こえて、しばらく見入ってしまったよ。

いつもと同じ場所なのに、いつもと違う景色を眺めてる。

そして、こんなに寒いのに陽《ひ》がまぶしくて、空は真っ青です。

最高です。

44 狭いながらも楽しい我が家

「お疲れ様です」

仕事が終わった。

さあ帰ろう。

仕事帰りは足早に帰宅する人で駅はごった返しています。みなさん、1本でも早い電車に乗って家に帰るためです。

家で待ってる人はいないけど、私もラッシュの人波に押されながら家路を辿ります。これは私のルーティン。

「ただいま」「お帰り」……。

誰もいない部屋でひとりごと、それでも、挨拶は欠かせません。

これもまた私のルーティンです。

よく、夜明かりのついてない部屋に帰るのは寂しいって聞きますが、私は家に帰るとホッとします。

狭いながらも楽しい我が家です（一人暮らしだけどね）。

寒いですね。手はカサカサです。

天気予報を調べてみたら乾燥注意報が出ていました。

「空気の乾燥した状態が続くため、火の取り扱いに注意してください」とのことでした。

みなさん、ご注意ください。

なるほど、喉が渇くはずです。


食堂でもらった冷めたお茶を飲んだら、一息ついたよ。

さあ、着替えて、夕飯の支度に取りかかるとするか。